À PLUS 3

MÉTHODE DE FRANÇAIS
POUR ADOLESCENTS

Cahier d'exercices + CD

AUTEURS
Sophie Lhomme
Michèle Bosquet
Yolanda Rennes

www.emdl.fr/fle

Sommaire

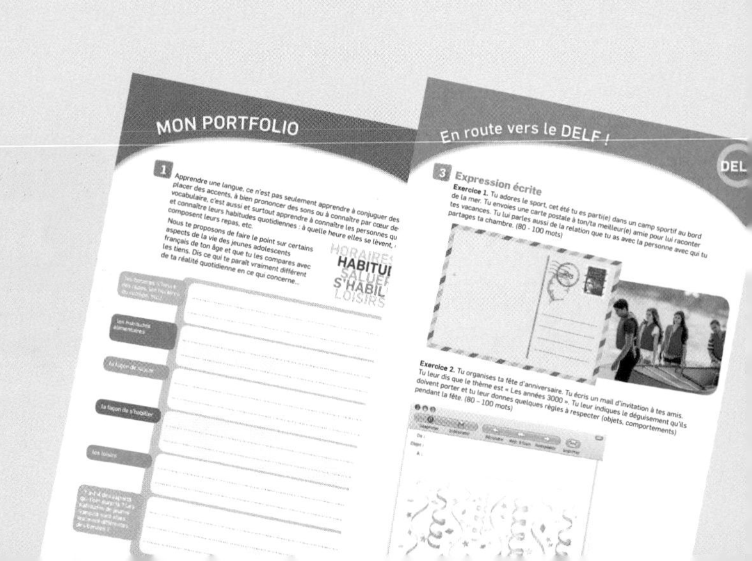

Unité 1 En route !

Cette page est pour toi !

Colle, dessine, écris... tout ce que tu veux.

On va où ?

1 Répond à ce test et découvre quel type de voyageur tu es.

1 Quand je voyage,...

- ☐ j'aime bien partir en avion.
- ☐ je préfère la voiture.
- ☐ le moyen de transport m'est égal.

2 Ce que je préfère, c'est...

- ☐ aller à la montagne.
- ☐ aller à la plage.
- ☐ visiter des villes.

3 Je préfère voyager...

- ☐ seul.
- ☐ avec des amis.
- ☐ avec mes parents.

4 J'aime voyager...

- ☐ en été.
- ☐ en hiver.
- ☐ à n'importe quel moment de l'année. Toutes les saisons sont bonnes

5 J'adore visiter...

- ☐ les régions de mon pays.
- ☐ des pays voisins.
- ☐ des pays lointains.

6 Pour voyager, je prends...

- ☐ une valise.
- ☐ un sac à dos.
- ☐ ça dépend du voyage.

7 Quand je voyage, je mange...

- ☐ comme à la maison.
- ☐ la cuisine locale.
- ☐ de tout, sans distinction.

8 Je préfère...

- ☐ faire du camping.
- ☐ loger chez l'habitant.
- ☐ aller à l'hôtel.

9 J'aime...

- ☐ les voyages bien organisés.
- ☐ l'aventure.
- ☐ un mélange des deux.

10 Voyager, c'est...

- ☐ s'amuser.
- ☐ apprendre.
- ☐ se détendre.

☐ = 1 point ; ☐ = 2 points ; ☐ = 3 points

Si tu as entre 10 et 16 points :

Ce que tu aimes, c'est ton petit confort ! Tu es un voyageur escargot.
Tu es sûr que tu ne préfères pas rester chez toi à regarder un documentaire ?

Si tu as entre 17 et 22 points :

Tu es un voyageur écureuil : tu as envie de faire beaucoup de choses mais tu restes attentif à tout et surtout prévoyant. Tu contrôles le moindre détail, mais tu sais aussi en profiter.

Si tu as entre 23 et 30 points :

Voyageur kangourou, tu as une âme d'aventurier
Tu es curieux, tu n'as pas peur de l'imprévu et tu t'adaptes à toutes les situations !

2 Complète ce message avec les prépositions manquantes.

au   en   à   dans   avec   chez

Supprimer | Indésirable | Répondre | Rép. à tous | Réexpédier | Imprimer

Cet été, je suis parti *avec* Fred, un copain. On avait quelques jours de vacances et on a décidé de rester ... Europe et de visiter des villes qu'on ne connaissait pas. De Lyon, on est allés ... Rome ... avion. On a dormi ... un hôtel magnifique ! C'était super, mais deux jours, ce n'était pas assez pour tout voir. Pour notre seconde étape, nous nous sommes arrêtés ... Florence. Nous y sommes allés ... train. Ces deux villes sont vraiment intéressantes ! Ensuite, nous avons continué ... l'Autriche, nous sommes allés ... Vienne et ... Salzbourg. Les gens des gîtes étaient très accueillants et agréables et l'architecture de ces villes est magnifique. Et puis, quels paysages ! Nous avons bien fait de voyager ... bus entre ces deux villes. Nous avons terminé notre voyage ... République tchèque, ... Prague. On est restés dormir ... des amis. Prague est une ville passionnante ! Malheureusement, Fred a été malade pendant deux jours, il n'a pas pu en profiter.

Nous avons décidé de recommencer l'année prochaine, nous irons certainement ... Espagne et j'aimerais bien aller aussi ... Lisbonne, ... Portugal.

3 **A.** Les parents de Charline et Lucas sont en train de choisir où ils vont aller en vacances. Écoute et note les avantages et inconvénients pour chaque destination.

01

PROGRAMME A

« DÉCOUVRIR PARIS EN FAMILLE »	
Avantages	Inconvénients
	Lucas n'aime pas beaucoup la ville.

PROGRAMME B

« CAMP INTERNATIONAL : VIVRE ENSEMBLE »	
Avantages	Inconvénients
Les soirées vont être animées.	

B. Quel programme proposent les parents aux enfants ?

01

C. Écoute la fin de la conversation et coche les bonnes réponses.

1. Comment réagissent Lucas et Charline ?

☐ Ils sont très enthousiastes.

☐ Ils ne sont pas intéressés.

☐ Ils sont déçus.

2. Qu'est-ce qu'ils aimeraient faire ?

☐ Charline voudrait inviter une amie pour les vacances.

☐ Charline est invitée par une amie et sa famille.

☐ Lucas a envie de faire du VTT avec le Club des sports.

☐ Lucas rêve de partir en vacances avec Simon et Marco.

4 De quoi ces deux adolescents vont-ils avoir besoin ? Fais une liste pour chacun.

Je pars faire de la randonnée dans les Pyrénées.

À chacun ses vacances

1 Regarde ces photos et imagine que tu es en vacances dans un de ces lieux. Écris une carte postale à un(e) ami(e). Tu dois décrire le lieu, expliquer ce que tu fais...

2 Emma, Chloé et Nathan parlent sur Skype pour se raconter leurs vacances. Écoute et complète le tableau.

2

	Où sont-ils en vacances ?	Quand partent-ils en vacances ?	Quel est leur logement ?	Quelles sont les activités qu'ils ont faites ?
Chloé				
Nathan				
Emma				

3 Pauline raconte ses vacances sur son blog.
Conjugue les verbes entre parenthèses au passé composé.

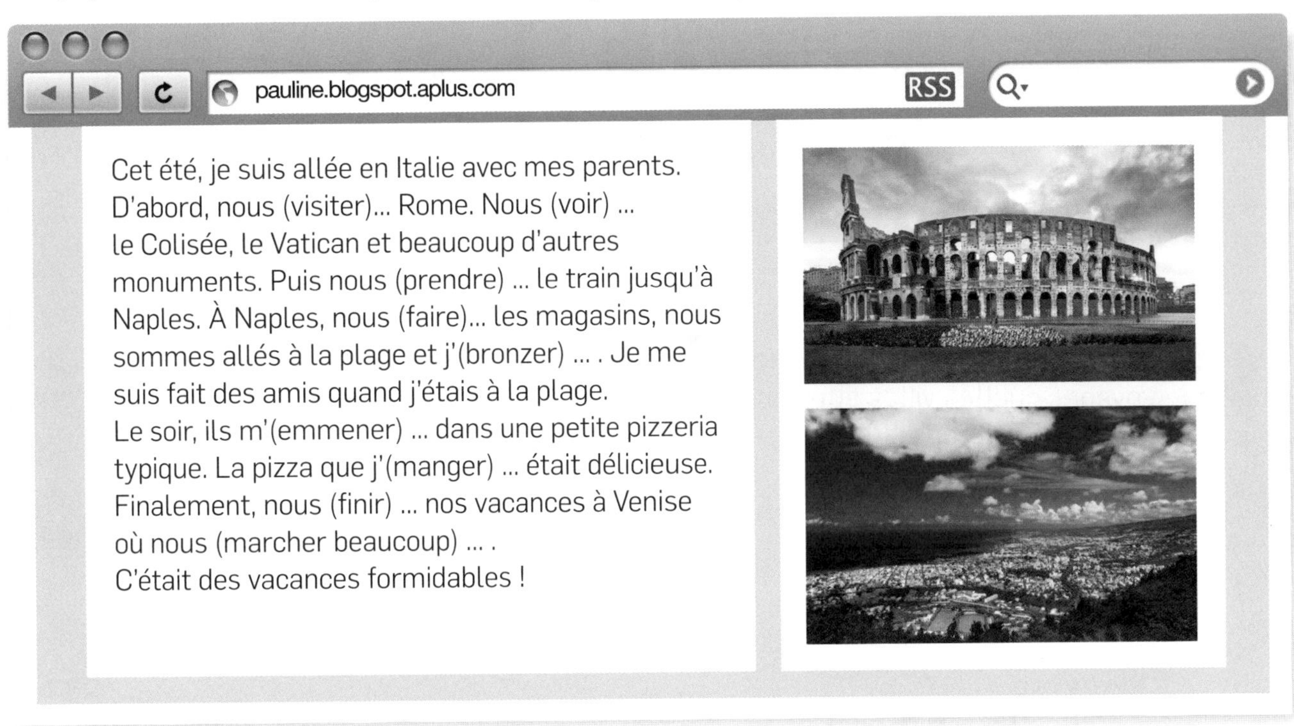

Cet été, je suis allée en Italie avec mes parents. D'abord, nous (visiter)... Rome. Nous (voir) ... le Colisée, le Vatican et beaucoup d'autres monuments. Puis nous (prendre) ... le train jusqu'à Naples. À Naples, nous (faire)... les magasins, nous sommes allés à la plage et j'(bronzer) ... . Je me suis fait des amis quand j'étais à la plage.
Le soir, ils m'(emmener) ... dans une petite pizzeria typique. La pizza que j'(manger) ... était délicieuse. Finalement, nous (finir) ... nos vacances à Venise où nous (marcher beaucoup) ... .
C'était des vacances formidables !

4 Complète les mots croisés avec le lexique des voyages.

Horizontal

1. Période de temps où on ne travaille pas.
2. Se mettre dans l'eau (dans un lac, dans la mer, etc.)
3. Bâtiment à visiter.
4. Étendue de sable.
5. Action de voir une ville, un monument, un musée.

Vertical

6. Limite entre deux pays.
7. Science de la cuisine.
8. Document officiel d'identité utile pour voyager.
9. Livre ou personne qui accompagne les touristes.
10. Changer de couleur après une exposition au soleil.
11. Premier mois des vacances scolaires d'été en France.

On s'est éclatés !

1 Raconte une anecdote de voyage, réelle ou imaginaire, en utilisant au moins huit mots ou expressions de la liste.

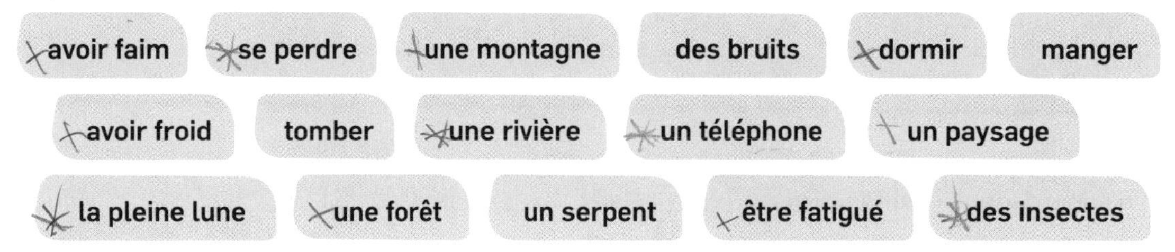

2 Judith et Margot ont fait un petit tour de la Méditerranée. Regarde la carte et explique leur voyage : quelles villes elles ont visitées, comment elles ont voyagé, où elles ont dormi, combien de temps elles sont restées...

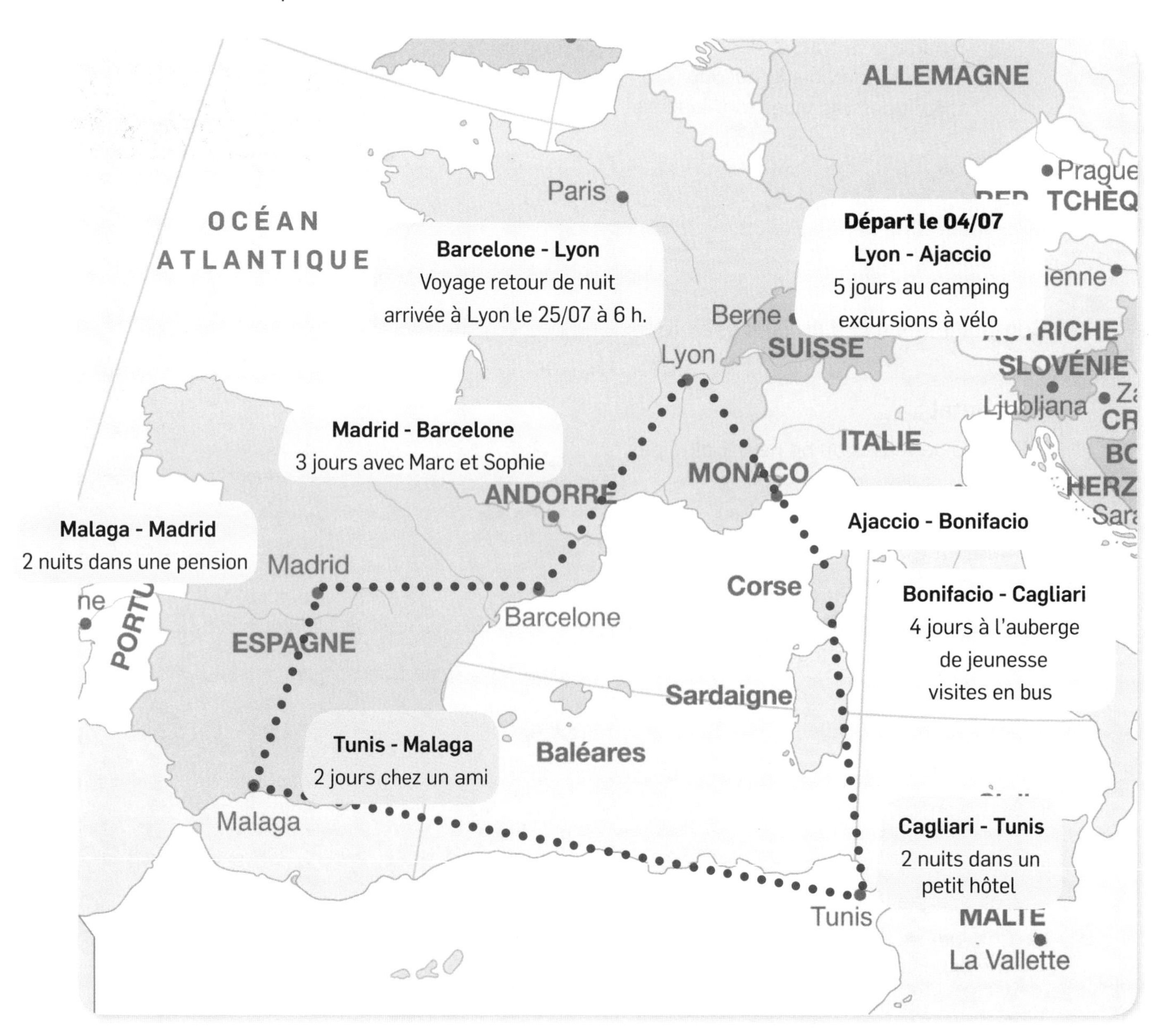

3 Voici un test sur les lieux qui apparaissent dans l'unité 1. Réponds à ces questions.

- Marseille est une ville...
  a) Cotière.
  b) Volcanique.
  c) Alpine.
- Marseille a un fameux club de...
  a) Basket.
  b) Foot.
  c) Rugby.
- Dans quelle région se trouve Marseille ?
  a) En Bretagne.
  b) En Normandie.
  c) En Provence-Alpes-Côtes d'Azur.

- Laquelle de ces montagnes est en Midi-Pyrénées ?
  a) Alpe-d'Huez
  b) Mont-Blanc
  c) Pic du Midi
- Lequel de ces plats n'est pas Midi-Pyrénéen ?
  a) Le cassoulet.
  b) Le fromage de brebis.
  c) La raclette.
- Laquelle de ces villes fait partie de la région Midi-Pyrénées ?
  a) Bordeaux.
  b) Toulouse.
  c) Paris.

- Quelle est la spécialité de Paris ?
  a) Le confit de canard.
  b) Les crêpes.
  c) Les macarons.
- On peut aller à la plage à Paris ?
  a) Vrai.
  b) Faux.
- Sur quel type de bateau peut-on visiter Paris ?
  a) Une barque.
  b) Un bateau-mouche.
  c) Une péniche.

4 **A.** Écoute et marque avec une croix (X) le mot que tu entends.

03

	[u]	[y]
1		
2		
3		
4		
5		

	[u]	[y]
6		
7		
8		
9		
10		

B. Souligne le son [u] en bleu et le son [y] en rouge. Ensuite, lis les phrases à haute voix.

1. Tu as tout pris pour le voyage.
2. Il y a des touristes dans les rues de Tunis.
3. Je pars en voiture avec tout mes amis.
4. Nous avons vu des monuments magnifiques !

Rencontre

Tu décides de créer sur un site Internet touristique une fiche pour ton pays ou ta région.

- Tu décris ton pays ou ta région (localisation, caractéristiques, etc.).
- Tu parles des activités que l'on peut faire (sports, visites, promenades, etc.).
- Tu donnes des informations sur le type d'hébergements possibles et sur les moyens de transport nécessaires pour se déplacer.
- Tu donnes deux ou trois conseils aux voyageurs avant et pendant leur voyage.

Ton texte doit avoir au minimum 80 mots.

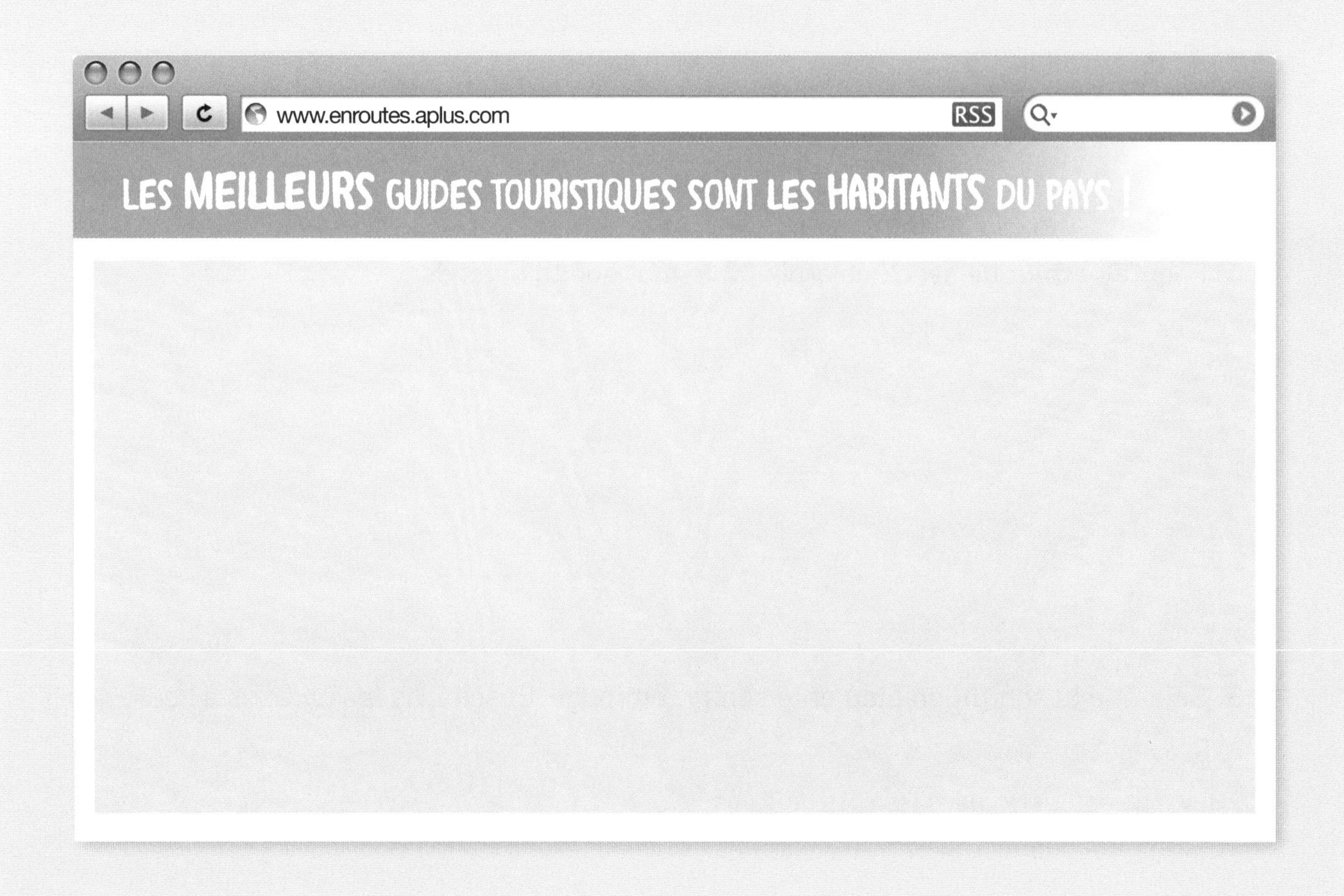

Unité 2

Réseaux

Cette page est pour toi !

Colle, dessine, écris... tout ce que tu veux.

Voisins, voisines

1 Associie les mots avec les photos.

courageux **branchées** **anxieuse** **travailleuse** **polie** **énervée**

2 Complète les phrases avec un adjectif.

1. Mon petit frère ne supporte aucune critique, il est ... .
2. Ma meilleure amie parle tout le temps, elle est ... .
3. Mes parents s'habillent encore avec des vêtements des années 90 ! Ils sont ... .
4. Mon professeur de maths ne s'énerve jamais, il est ... .
5. Mes voisins parlent fort, leur chien aboie souvent, et leur fils joue de la guitare ! Ils sont très ... .

3 Remets les phrases dans l'ordre.

1. un / J'/ voisin / ai / insupportable
2. mon / une / fait / départ / grande / amis / ont / fête / Mes / pour
3. appartement / acheté / un / as / joli / Tu
4. roses / Mon / François / rouges / offert / de / m'a / belles / voisin
5. maison / un / jardin / Cette / a / magnifique

4 Tu viens d'emménager dans un nouvel immeuble ou une nouvelle maison. Décris le caractère et la façon d'être de tes voisins.

Les voisins de mon immeuble sont sympathiques et polis. J'habite au deuxième étage et le jour de notre déménagement ils nous ont aidés.

5 Aurélie décrit ses photos à une amie. Écoute et complète le tableau.

04

	À qui ça correspond ?	Quel rapport il / elle a avec Aurélie ?
Elle ne s'entend plus très bien avec lui.		
C'est miss optimiste !		
Il lui ressemble beaucoup.		
Aurélie la trouve très ouverte et moderne.		
Il est toujours pessimiste.		
Il est super intelligent.		
Ils sont tous très cools.		
Elle est très sympa avec tout le monde et dynamique.		

6 Après un incident pendant le cours de chimie, Loïc écrit à ses deux camarades pour s'excuser de s'être fâché avec eux. Complète le mail avec les mots.

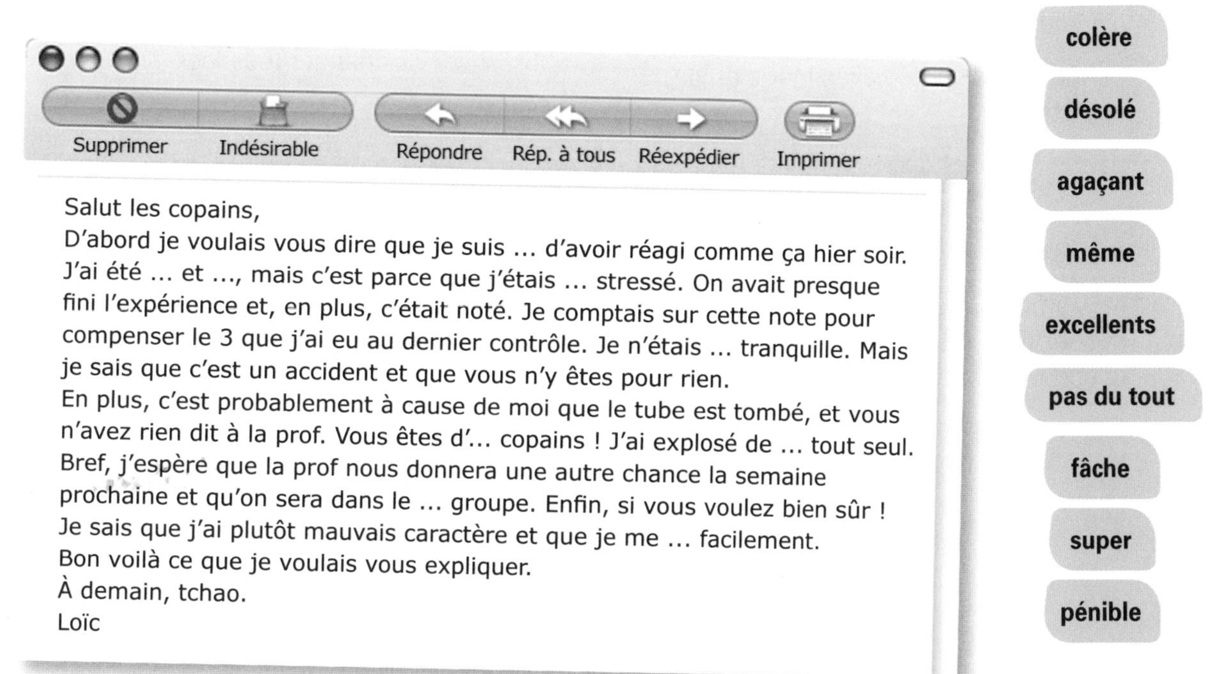
Supprimer   Indésirable   Répondre   Rép. à tous   Réexpédier   Imprimer

Salut les copains,
D'abord je voulais vous dire que je suis ... d'avoir réagi comme ça hier soir. J'ai été ... et ..., mais c'est parce que j'étais ... stressé. On avait presque fini l'expérience et, en plus, c'était noté. Je comptais sur cette note pour compenser le 3 que j'ai eu au dernier contrôle. Je n'étais ... tranquille. Mais je sais que c'est un accident et que vous n'y êtes pour rien.
En plus, c'est probablement à cause de moi que le tube est tombé, et vous n'avez rien dit à la prof. Vous êtes d'... copains ! J'ai explosé de ... tout seul. Bref, j'espère que la prof nous donnera une autre chance la semaine prochaine et qu'on sera dans le ... groupe. Enfin, si vous voulez bien sûr ! Je sais que j'ai plutôt mauvais caractère et que je me ... facilement.
Bon voilà ce que je voulais vous expliquer.
À demain, tchao.
Loïc

colère
désolé
agaçant
même
excellents
pas du tout
fâche
super
pénible

Vive l'amitié !

1 **A.** Complète la formule qui sert à former le conditionnel.

radical du ....
+ terminaisons de ....
....

B. Complète ce tableau en conjuguant les verbes au conditionnel.

	Trouver	Expliquer	Finir	Découvrir	Pouvoir	Faire	Vouloir	Être
Je								
Paul et Marine								
Vous, les élèves,								
Nous								
Tu								
Aïda								

2 Aide Quentin à résoudre son problème. Si un(e) de tes meilleur(e)s ami(e)s te mentait, comment réagirais-tu ?

Si mon/ma meilleur(e) ami(e) me mentait, je serais très déçu(e).

3 Associe le problème et sa solution.

1. J'ai menti à mon meilleur copain.
2. Je me suis disputée avec Marie et je regrette.
3. Je me suis fâché avec mon meilleur ami.
4. Je n'en peux plus de réviser pour l'examen de maths !
5. Mes amis me reprochent de trop utiliser mon téléphone portable quand je suis avec eux.
6. Je n'y crois pas ! Mes amis sont en train d'organiser une fête sans moi.

- **a.** Et si tu faisais une pause pour te changer les idées ?
- **b.** Et si tu leur proposais de les aider ?
- **c.** Si tu regrettes, tu pourrais t'excuser.
- **d.** Tu devrais le ranger quand tu es avec eux.
- **e.** Vous pourriez vous réconcilier.
- **f.** Tu pourrais lui dire la vérité.

4 Associe les sujets (à gauche) avec les formes verbales (à droite).

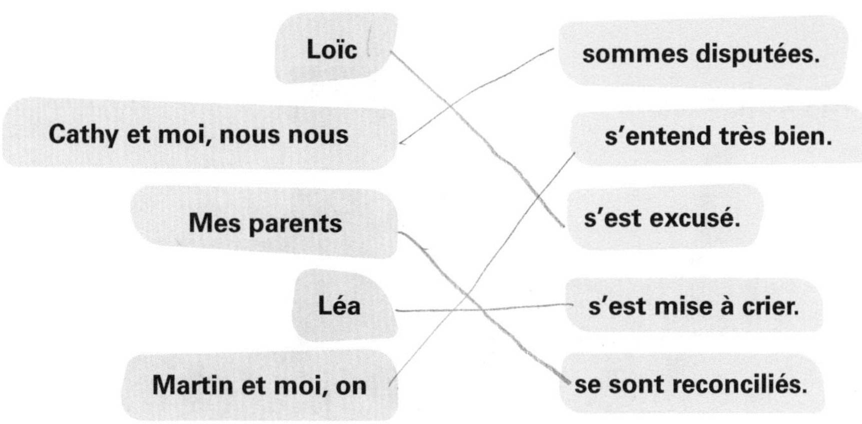

5 **A.** Décris le caractère et la façon d'être d'un ami ou d'un membre de ta famille. Utilise les expressions de la liste suivante.

- Avoir bon / mauvais caractère
- S'énerver facilement / rester calme
- S'inquiéter pour quelque chose
- Être de bonne / mauvaise humeur
- (Ne pas) Être expressif
- Se fâcher / se réconcilier avec quelqu'un
- Se fâcher à cause de quelque chose
- Être rancunier
- (Ne pas) Avoir de l'humour
- S'entendre bien / mal avec quelqu'un

Je vais présenter :

B. Écris quelques exemples de situation qui illustrent ton caractère. Aide-toi des expressions suivantes.

m'énerver

je suis un peu/assez/très...

les gens croient que je suis plutôt...

je fais attention à...

ça m'amuse de...

avoir bon/mauvais caractère

Quand mon frère entre dans ma chambre, je m'énerve tout de suite. Il doit comprendre que c'est MON espace !!!

Mon réseau

1 **A.** Lis ce que racontent ces amis. Complète les bulles en utilisant ***ça fait***, ***il y a*** et ***depuis***.

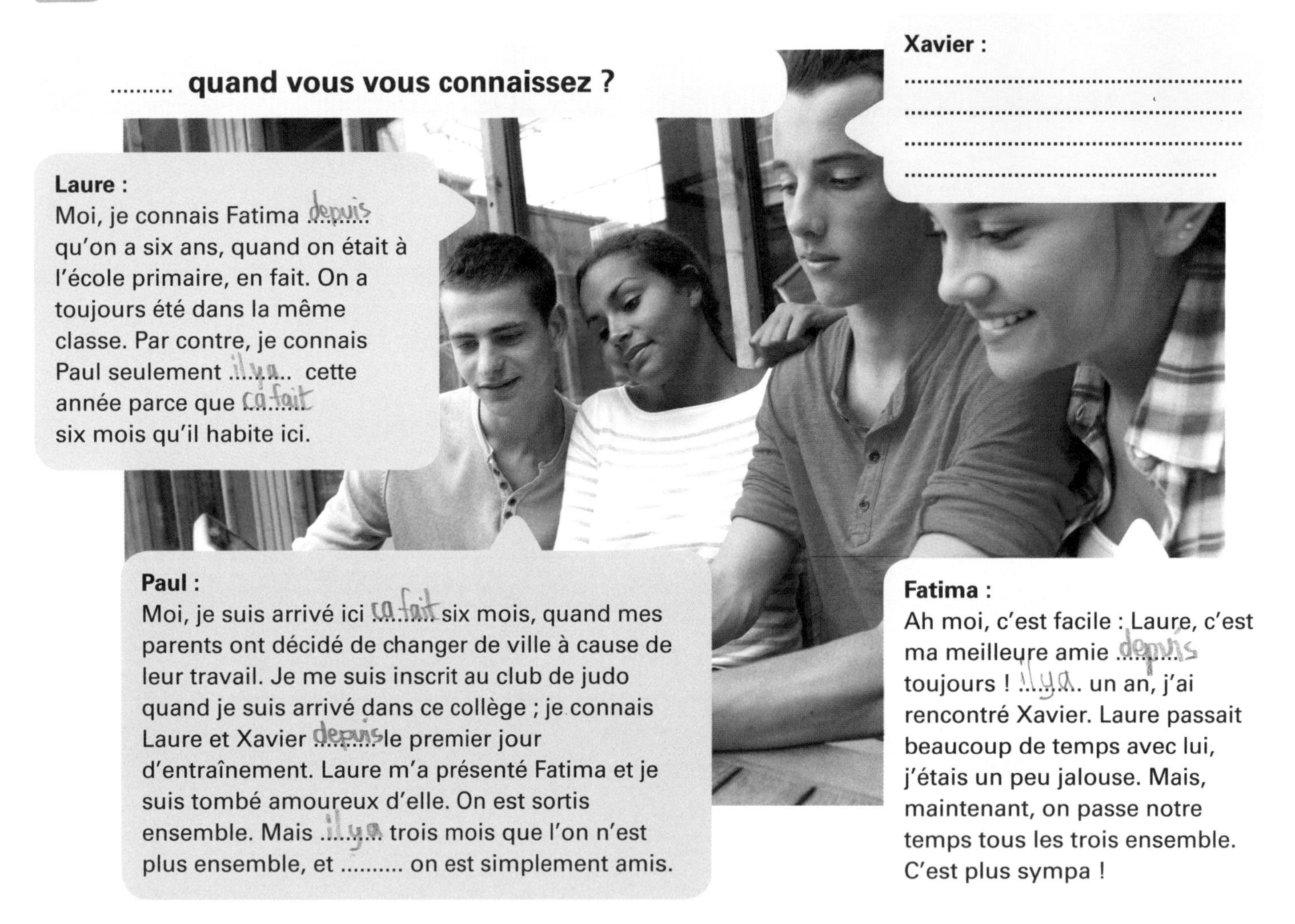

.... **quand vous vous connaissez ?**

Xavier :
....
....
....
....

Laure :
Moi, je connais Fatima .... qu'on a six ans, quand on était à l'école primaire, en fait. On a toujours été dans la même classe. Par contre, je connais Paul seulement .... cette année parce que .... six mois qu'il habite ici.

Paul :
Moi, je suis arrivé ici .... six mois, quand mes parents ont décidé de changer de ville à cause de leur travail. Je me suis inscrit au club de judo quand je suis arrivé dans ce collège ; je connais Laure et Xavier .... le premier jour d'entraînement. Laure m'a présenté Fatima et je suis tombé amoureux d'elle. On est sortis ensemble. Mais .... trois mois que l'on n'est plus ensemble, et .... on est simplement amis.

Fatima :
Ah moi, c'est facile : Laure, c'est ma meilleure amie .... toujours ! .... un an, j'ai rencontré Xavier. Laure passait beaucoup de temps avec lui, j'étais un peu jalouse. Mais, maintenant, on passe notre temps tous les trois ensemble. C'est plus sympa !

B. Maintenant, imagine ce que raconte Xavier à propos de ses amis.

2 Décris ton réseau en suivant le modèele. Écris le nom de chaque personne qui forme ton réseau et décris le moment de votre rencontre. Utilise ***ça fait***, ***il y a*** et ***depuis***.

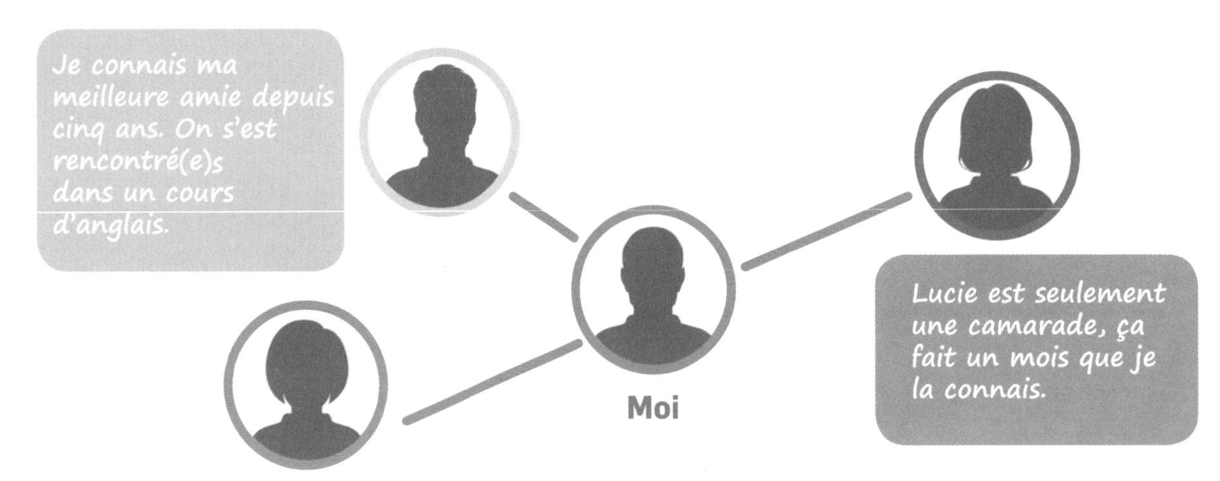

3 Pierre est en vacances à Londres avec ses amis. Il a envoyé une photo à sa sœur pour lui montrer ses amis. Écoute la description. Remets les rencontres de Pierre dans l'ordre chronologique et dis qui ils sont.

05

Alban : ....

Delphine : ....

Lydia : ....

Michel : ....

Peter : ....

4 Complète les phrases avec ***qui***, ***que***, ***où***.

1. Julien est un garçon ... j'aime beaucoup, il est très gentil.
2. Lucille ? C'est la fille ... s'est fâchée avec toi ?
3. Internet, le seul endroit ... l'on peut rencontrer des gens des quatre coins du monde !
4. Le garçon ... est devant la porte est mon cousin.
5. L'année ... Mickaël est arrivé en France, il y avait des élections.
6. *Les Revenants* ? C'est une série ... j'adore !

5 **A.** Écris les mots que tu entends.

06

....

B. Écoute les mots une deuxième fois et coche la case qui correspond au son que tu entends.

	[j]	[w]	[ɥ]
1			
2			
3			
4			
5			
6			

Agissons ensemble

A. Le Conseil des jeunes est une association composée de 20 adolescents francophones âgés de 13 à 17 ans qui aide les jeunes en difficulté. Le forum en ligne du Conseil des jeunes permet de parler de ses problèmes et de demander des conseils. Lis les quatre témoignages suivants.

Un coup de cœur ? Un coup de colère ? Fais entendre ta voix !

Théo, 16 ans : Il y a deux semaines, Loïc (c'est mon meilleur ami) et moi, nous nous sommes disputés. Il m'a dit que je ne lui avais pas rendu un de ses jeux vidéo. Depuis, il ne me parle plus. Et tous mes autres amis non plus. Ils pensent que je suis un voleur. Ça me rend triste parce que ce n'est pas vrai. Je me sens mal et je ne sors plus de chez moi. Comment je peux faire pour être à nouveau son ami ?

Julia, 15 ans : Je fais du théâtre dans une petite association, et cette année on devait participer à un festival dans le sud de la France, mais on ne pourra pas y aller. Et vous savez pourquoi ? Parce que l'association n'a pas assez d'argent pour payer les frais d'hébergement et de transport. Ça m'énerve vraiment parce que toute l'année on a travaillé dur pour ce festival. À qui pourrait-on demander de l'aide ?

Nicolas, 15 ans : Je vais au collège à vélo parce que j'habite loin et mes parents ne peuvent pas m'emmener en voiture. Tous les matins, ça me stresse parce qu'il y a beaucoup de circulation. J'ai peur d'avoir un accident, alors je roule doucement et j'arrive en retard en cours. Les profs me disent que ce n'est pas leur problème. Mais ce n'est pas de ma faute ! Qu'est-ce que je pourrais faire ?

Géraldine, 16 ans : L'année prochaine, je veux arrêter mes études pour devenir mannequin. J'ai discuté avec mes parents, et ils ne sont pas du tout d'accord. Mon père veut m'obliger à faire des études de médecine comme lui. Ça me révolte qu'ils m'obligent à faire quelque chose qui ne me plaît pas. Quand on parle de ce sujet, mes parents s'énervent, mais moi je sais ce que je veux. Comment je peux leur faire comprendre ma décision ?

B. Écris le nom de la personne à côté du problème qui lui correspond.

- Il rencontre des difficultés pour aller au collège : ....
- Ses parents n'acceptent pas le métier qu'elle veut faire : ....
- Elle ne peut pas participer à un événement culturel : ....
- Son ami l'accuse d'avoir volé quelque chose : ....

C. Associe ces réactions aux ados.

elle est sûre d'elle-même | **il est stressé** | **elle est en colère** | **il se sent seul**

D. Choisis une personne et donne-lui un conseil. Dis-lui comment toi tu ferais pour résoudre le problème si tu étais à sa place. Donne des exemples de ta propre expérience. (80 mots)

Unité 3 La forme ?

Cette page est pour toi !

Colle, dessine, écris... tout ce que tu veux.

Bien dans mon assiette

1 Classe les ingrédients sous le plat correct. Il manque un ingrédient important dans chaque plat. Lequel à ton avis ?

gâteau au chocolat | *croque-monsieur* | *spaghettis bolognaise*

fromage en tranche | poivre x2 | ail | viande hachée | huile

oignon | beurre x2 | levure | chocolat | sel x2

sauce tomate | œufs | sucre | fromage rapé | jambon blanc

2 Annie et Daniel ont invité des amis à dîner demain soir. Daniel appelle Annie pour lui demander la liste des courses. Écoute puis écris le nom des aliments et, si elles sont précisées, les quantités des produits à acheter. Tu peux dire ce qu'ils vont manger ?

07

En entrée, ils vont manger une ....
ensuite une tarte aux poireaux et au saumon, et comme dessert,
.. .

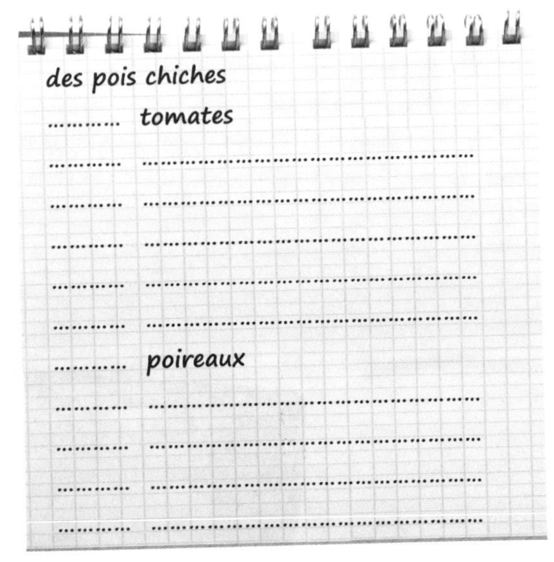

3 Dans la gastronomie de ton pays, quel est ton plat préféré ? Imagine que tu dois expliquer à un francophone comment on le prépare. Utilise ton dictionnaire si nécessaire.

Moi, j'adore le/la ....

C'est une sorte de ....

On le prépare avec ....

4 Complète cette grille avec des aliments à partir du nom du sandwich.

1. On en mange en dessert ou au goûter. Il est souvent en poudre ou en tablette.
2. On le mange en dessert avec une petite cuillère. Il est fait avec du lait.
3. Il accompagne toujours le sel sur la table.
4. Tarte salée faite avec du fromage, du jambon, de la crème et des œufs. C'est une spécialité lorraine.
5. Les aubergines, les épinards, les carottes, les poireaux en sont.
6. Elle contient de l'huile, du vinaigre, de la moutarde et du sel. C'est une sauce qui accompagne les salades.
7. En France, on en mange avec du pain entre le plat et le dessert.
8. Il fait pleurer quand on le coupe.
9. Elle est faite à base de fruits et sucre. On la met sur les tartines au petit déjeuner.
10. Petit gâteau.
11. Beaucoup de gens trouvent qu'il donne mauvaise haleine. On dit qu'il éloigne les vampires.
12. Les végétariens n'en mangent pas.
13. Condiment de couleur jaune. En France, la plus célèbre est de Dijon.
14. On en mange avec du lait au petit déjeuner.

5 Réponds à ces questions sur tes goûts alimentaires en utilisant le pronom *en*.

1. Tu as déjà mangé des crêpes ?
J'en ai déjà mangé quand j'étais en Bretagne.
2. Tu manges des fruits et légumes tous les jours ?
3. Tu fais souvent des gâteaux ? Si oui, quand ?
4. Tu bois beaucoup d'eau dans la journée ?
5. Tu bois des sodas ? Combien de fois par semaine ?
6. Tu mets du sel dans tes plats ?

Bouge !

1 **A.** Quel sport font-ils ? Pourquoi ? Écoute les témoignages et complète le tableau.

08

	Sport pratiqué	Pourquoi ?
Alice		
Matéo		
Chloé		
Milo		

B. Et toi, quel(s) sport(s) ou quelle(s) activité(s) pratiques-tu ? Pourquoi les pratiques-tu ?

Je fais du foot pour me dépenser. Je pratique un sport collectif pour être avec mes amis.

2 Voici une série d'exercices très simples pour débloquer les articulations et faire circuler l'énergie dans le corps. Fais correspondre les dessins et les explications. Il est important de toujours bien respirer.

Afin de tonifier tes jambes, écarte-les le plus possible et incline légèrement le buste vers l'intérieur, les bras bien en avant.

Pour te relaxer, mets-toi debout, sur la pointe des pieds, tend les bras au maximum vers les côtés, jusqu'au bout des doigts.

Dans le but de mieux respirer, mets-toi à genoux, plie les bras et ramène-les en arrière, derrière la nuque.

Afin d'étirer ton dos, tends une jambe. L'autre est repliée au maximum, le genou vers le sol. C'est cette jambe qui travaille. Pour renforcer l'exercice, étire le bras opposé à la jambe qui travaille.

3 Associe les phrases.

1. Il faut manger cinq fruits et légumes par jour ...
2. Les adolescents doivent dormir sept heures par nuit ...
3. Les végétariens doivent compléter leur alimentation ...
4. Il faut boire souvent de l'eau ...
5. Nous devons manger de la viande, des légumes ...
6. Il ne faut pas rester inactif ...

a. Au contraire, il faut faire du sport tous les jours.
b. mais il faut limiter les graisses.
c. pour ne pas avoir d'insuffisance alimentaire.
d. alors que les sodas doivent rester une boisson occasionnelle.
e. afin de ne pas avoir de problème de santé.
f. dans le but d'avoir une alimentation équilibrée.

4 **A.** Complète les phrases à l'aide des étiquettes.

est un sport d'extérieur | **ça me faisait peur** | **de me protéger** | **faire de l'exercice tous les jours** | **les sports individuels m'ennuient** | **demandent une préparation psychologique** | **avoir une alimentation équilibrée** | **ma mère est végétarienne** | **j'aime me balader à vélo**

1. Maintenant, j'adore faire du parapente, mais avant ...
2. Quand je fais du vélo, je mets un casque dans le but ...
3. J'aime beaucoup les sports d'équipe. Par contre ...
4. Le triathlon est un sport qui demande beaucoup de préparation physique. Les échecs, au contraire ...
5. Je vais au collège à pied afin de ...
6. Le squash est un sport d'intérieur, le golf au contraire ...
7. Mon père adore la viande, mais ...
8. Je mange trois fois par jour pour ...
9. Je déteste courir. Par contre ...

B. À ton tour ! Invente trois phrases sur le même modèle.

5 Écoute cette émission de radio qui parle des bienfaits du sport et réponds aux questions.

09

1. Quels sont les deux arguments contre le sport dans ce texte ?
2. Dans quel but les muscles travaillent ?
3. Qu'est-ce qu'on développe grâce au sport ?
4. À part les compétences physiques, quelle autre compétence on développe avec le sport ?
5. Quelle hormone appelle-t-on l'hormone du plaisir ?
6. Combien de temps les médecins conseillent-ils de faire du sport ?

6 Écoute et dis si leur prononciation est identique ou différente.

10

	identiques	différentes
1		
2		
3		
4		
5		

	identiques	différentes
6		
7		
8		
9		
10		

Prends soin de toi

1 Complète avec les parties du corps.

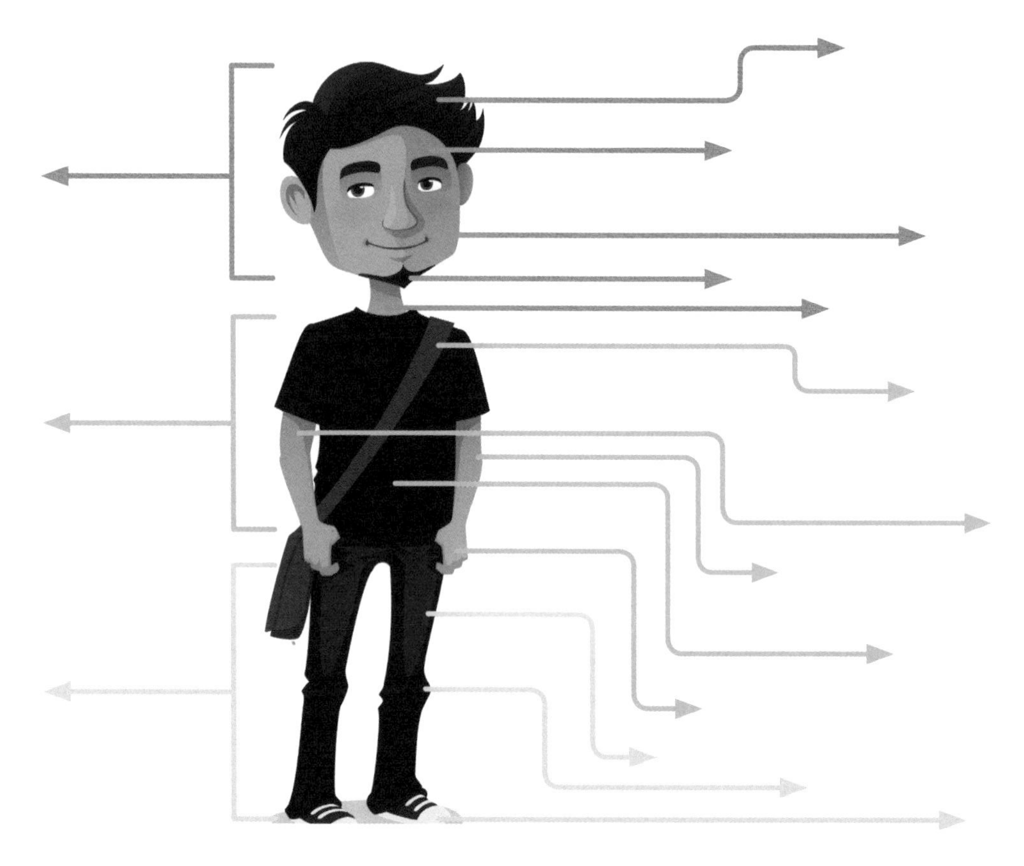

2 Depuis deux semaines, Jules porte un appareil dentaire. Écoute la conversation qu'il a avec sa mère et indique dans le tableau si les personnes ont une réaction positive ou négative. Si tu peux, justifie ta réponse avec un exemple pris dans la conversation.

11

	Réaction positive	Réaction négative	Exemple ou justification
Jules			
Ses copains			
Mélanie			
Sa mère			
Sa sœur			

Que penses-tu de la réaction de chaque personne ?

....

....

....

....

Aide Jules ! Donne-lui un conseil :

Si j'étais toi

....

....

....

....

3 Donne un conseil à chaque personne pour l'aider à résoudre son problème.

www.aplussimo.com

Pierre-2003
Je m'endors souvent en cours !

Char-2
Si tu t'endors en cours, c'est sans doute parce que tu ne dors pas assez la nuit. Si j'étais toi, j'essaierais de me coucher plus tôt. L'alimentation est aussi très importante pour être en forme toute la journée. Prends un petit déjeuner complet avant d'aller au lycée.

Charline
Mes cheveux sont horribles !

...

Carmen
Je n'arrive pas à étudier chez moi !

...

Richard
J'ai beaucoup d'acné !

...

Charles
J'ai mal à la tête !

...

Mélanie
Les examens m'angoissent !

...

Baptiste
J'ai mal au dos !

...

4 À quelle fréquence tu fais ces choses ?

se laver les dents | **te coucher tard** | **aller chez le dentiste** | **faire du sport**

5 Associe les phrases.

1. Vu que j'ai de l'acné...
2. Comme je suis végétarien...
3. Vu que Léa déteste les produits chimiques...
4. Comme Alexis est souvent fatigué...

a. je mange du tofu.
b. je vais chez le dermatologue.
c. elle connaît beaucoup de trucs de grand-mère.
d. il prend des vitamines tous les jours.

Prenons de bonnes habitudes !

Le magazine *Santé ados* publie une petite annonce pour une enquête. Lis l'annonce et rédige un texte sur le forum du site du magazine pour répondre aux questions posées.

Unité 4

Notre cinéma

Cette page est pour toi !

Colle, dessine, écris... tout ce que tu veux.

Plantons le décor

1 Lis attentivement la description de cette scène. Note toutes les différences que tu trouves entre le dessin et le texte.

La scène se passe dans le salon. À droite de la pièce, on voit un canapé jaune avec quatre coussins. À côté, il y a une petite table en bois avec un magazine et une bouteille de jus d'orange. Contre le mur, en face du canapé, il y a un meuble en bois et la télévision posée dessus. Sur le meuble, on voit aussi deux cadres de photos de vacances. À gauche, devant la fenêtre, il y a une plante et une chaise. À droite, on peut voir la cuisine par la porte ouverte. Une photo de mariage est accrochée au mur.

Des vêtements traînent un peu partout dans la pièce : une veste grise par terre, des chaussettes blanches sur la petite table, une basket devant la fenêtre et un pull bleu sur le canapé.

Arthur, le fils, est assis sur le canapé, il écoute de la musique avec son MP4. Sa mère est dans la cuisine. Elle est contente car elle attend des invités. Elle porte une robe verte et un petit collier noir.

2 Écoute la description d'une scène de cinéma et coche Vrai ou Faux. Justifie quand c'est Faux.

12

1. La scène se déroule à l'extérieur. ◯ VRAI / ◯ FAUX
2. La boulangère est devant le comptoir. ◯ VRAI / ◯ FAUX
3. En face de la porte, il y a le comptoir. ◯ VRAI / ◯ FAUX
4. Dans la vitrine, on voit les clients. ◯ VRAI / ◯ FAUX
5. Il y a un monsieur avec un parapluie et un sac. ◯ VRAI / ◯ FAUX
6. Il y a un petit garçon avec un jean et une casquette. ◯ VRAI / ◯ FAUX

3 Ces deux acteurs vont jouer un rôle dans une pièce de théâtre. Décris comment chacun est habillé. Invente le nom, la profession et la personnalité de chaque personnage. Dans quel type histoire peuvent-ils jouer ?

4 Tu t'es sûrement déjà déguisé pour une fête à thème (un anniversaire, le carnaval...). Si tu as une photo, colle-la, décris ton déguisement et explique pourquoi tu l'avais choisi. Sinon, invente celui que tu aimerais porter et dis pourquoi.

Moteur !

1 Retrouve les mots cachés dans la grille (de haut en bas, de gauche à droite et en diagonale).

A	R	N	T	C	Z	E	U	I	M	N	R	X	S	I	U	S
K	C	Y	K	J	O	Y	Y	D	U	O	É	E	C	S	F	B
Y	A	C	R	S	C	È	N	E	U	F	A	A	É	N	E	D
J	M	E	E	N	P	I	C	D	H	E	L	C	N	L	O	C
E	E	Y	U	S	V	X	S	F	U	U	I	T	A	W	N	Y
J	R	U	E	V	S	X	T	E	G	M	S	E	R	D	A	H
O	A	O	I	P	U	O	U	R	M	Z	A	U	I	I	X	L
E	M	I	D	T	E	E	I	L	A	B	T	R	S	A	E	X
M	A	K	A	H	P	D	Y	R	A	D	E	E	T	L	T	E
Z	N	G	U	M	O	S	M	B	I	G	U	I	E	O	Y	O
P	E	R	S	O	N	N	A	G	E	S	R	C	Z	G	T	Y
A	C	T	A	F	A	E	B	I	A	E	T	A	T	U	V	G
J	Y	Q	E	D	V	Q	D	É	C	O	R	E	O	E	M	U
I	N	T	E	R	P	R	É	T	A	T	I	O	N	E	U	L
K	D	Y	E	E	G	E	K	S	C	É	N	A	R	I	O	R
T	Y	Y	E	E	C	T	E	E	S	Y	N	O	P	S	I	S
M	O	N	T	E	U	R	Q	G	E	A	O	F	X	L	E	E

accessoiriste | **caméraman** | **dialogue** | **réalisateur** | **traducteur** | **personnage** | **scénariste** | **monteur** | **décor** | **scénario** | **acteur** | **synopsis** | **scène** | **interprétation**

2 Lis les synopsis et associe au genre de film.

comédie | **drame** | **film historique** | **policier** | **biographie**

La Môme : Ce film retrace la vie de la célèbre chanteuse de « *La vie en rose* » : Edith Piaf. De son enfance à l'immense gloire qu'on lui connaît, en passant par ses premiers pas sur scène.

Bienvenue chez les Ch'tis : Philippe Abrams, directeur d'une agence de la Poste, rêve d'un emploi sur la Côte d'Azur mais il se retrouve finalement à Bergues, dans le Nord-Pas-de-Calais. C'est une punition pour lui, qui habite dans le Sud depuis toujours. Mais il découvre un endroit charmant, une équipe chaleureuse et des gens accueillants.

Welcome : La femme de Simon l'a quitté. Pour l'impressionner, Simon, maître-nageur et champion de natation, décide d'aider Bilal. Bilal est un jeune Kurde sans papiers qui veut traverser la Manche à la nage pour aller en Angleterre.

36 quai des Orfèvres : Un gang de braqueurs vole des banques dans la région parisienne. Le chef de la police française est bien décidé à arrêter les voleurs avant de partir à la retraite. Pour cela, il fait appel au chef de la Brigade de Recherche et d'Intervention et au chef de la Brigade de Répression du Banditisme. Celui qui arrêtera le voleur deviendra alors le chef de la Police Judiciaire.

Les Femmes de l'ombre : Ce film se passe pendant la Seconde Guerre mondiale. Louise Desfontaine, résistante qui agit depuis la Grande-Bretagne, constitue un groupe de femmes pour assurer la libération d'un agent britannique capturé par les Allemands.

3 Transforme les phrases comme dans l'exemple.

Quand il court, il écoute de la musique → Il court en écoutant de la musique.

1. Quand Marie se douche, elle chante.

2. Quand Pierrick fait ses devoirs, il écoute de la musique.

3. Quand nous dînons, nous regardons la télévision.

4. Quand je vous attends, je fais les magasins.

5. Quand il s'approche de moi, il crie.

4 Complète les messages avec la forme ***en*** + participe présent des verbes suivants : ***descendre, hurler, faire, prendre, passer, pleurer, rentrer, réviser, sourire, tomber.***

Prends du pain .... du collège. Bisous. 15:22

Pierre est tombé .... les escaliers. RDV à l'hôpital. 16:00

Problème dans le bus. J'irai plus vite .... le métro. À tout de suite. 04:05

J'ai pris du retard .... à la pharmacie. J'arrive tout de suite. 14:45

Hier soir, Maria est partie .... la tête. Tu sais pourquoi ? 11:08

Yasmina m'a demandé un stylo .... Je ne la supporte plus. 05:30

Pierre m'a dit bonjour .... ce matin. Il est trop mignon :-) 14:20

Claire a quitté le cours de maths .... Qu'est-ce qui s'est passé ? 15:54

.... les cours à deux, on peut progresser. Tu en penses quoi ? 18:10

J'ai déchiré mon pull .... de vélo. Je passe chez le couturier. 10:30

5 Complète les phrases avec ***grâce à/au*** ou ***à cause de/du***.

1. ... la grève des transports, je suis arrivé en retard au cinéma.

2. J'ai découvert le cinéma japonais ... festival du Septième Art organisé tous les ans dans ma ville.

3. Elle pleure ... film.

4. ... cinéma, je fais des progrès en français.

5. ... toi, je connais la fin du film !

On tourne !

1 Complète le tableau.

Adjectif masculin	Adjectif féminin	Adverbe
facile		
positif		
courageux		
accidentel		
immédiat		
complet		complètement
silencieux		
tranquille		
amical		
sec	sèche	
doux	douce	

2 Complète ces phrases de façon cohérente avec les adverbes et les expressions de la liste.

doucement **rapidement** **sans dire** **attentivement**

sans faire **en chantant** **patiemment** **en courant**

1. Paula est très gaie aujourd'hui, elle se promène ... .
2. Rodolphe s'est approché ... de bruit.
3. Paula explique l'exercice de maths à Rodolphe ... .
4. Elle commence à chanter ... .
5. Son père l'écoute ... .
6. Rodolphe remercie sa fille ... un mot.
7. Il se lève et part ... parce qu'il va rater son train.
8. Paula, émue, traverse la rue ... .

3 Julie raconte sa scène préférée du cinéma français. Il s'agit « des avions en papier » du film *Les Choristes*. Écoute et complète le tableau.

13

Lieu	
Personnages	
Moment de la journée	
Actions	
Musique et bruits	

4 Complète, comme dans l'exemple, les indications pour les acteurs avec les propositions suivantes : *exaspéré - joyeux - Bertrand se lève et compose le numéro - en levant les yeux au ciel - en faisant un geste de la main - en prenant Bertrand par le bras - énervé - se lève, en colère - sur le canapé, indiférent - agacé*. Puis lis la scène avec ton voisin. N'oubliez pas de mettre le ton !

LE PÈRE (***en tournant la tête vers son fils.***) :
Bertrand, as-tu téléphoné à tes grands–parents pour les remercier pour ton cadeau d'anniversaire ?
BERTRAND (...) :
Hmmmm ? Plus tard...
LE PÈRE (...) :
Comment ça, plus tard ? Ça fait une semaine que tu me dis ça ! Ça suffit maintenant !
BERTRAND (...) :
C'est bon ... je vais l'faire !
LE PÈRE (...) :
Dépêche-toi, maintenant ! Fais-le pour de bon ! Je ne bouge pas d'là ! J'attends
BERTRAND (...) :
C'est bon... Tu me passes le téléphone s'il te plaît ?
LE PÈRE (...) :
Comment ça, tu me passes le téléphone ? Tu pourrais te lever quand même et aller le prendre toi-même, non ?!
BERTRAND (...) :
Pfff... il est loin, et puis là j'écoute de la musique ...
LE PÈRE (...) :
Bertrand ! Ça suffit maintenant, j'en ai marre ! Debout !
(Bertrand : ....)
BERTRAND : (...) :
Allo, Mamie ? Ça va ? Je voulais te remercier et Papi aussi pour le cadeau ...

5

14

A. Écoute la phrase suivante « David organise une fête samedi prochain » et indique l'émotion exprimée par le ton.

	Tristesse	Joie	Colère	Surprise
1				
2				
3				
4				

B. Répète cette phrase et prononce-la en exprimant une émotion.
Fais deviner à un camarade le ton avec lequel tu prononces la phrase.

Nous, on est comme ça !

Tu dois écrire le synopsis d'une scène d'un clip vidéo qui a pour thème l'amitié. Rédige ton synopsis en donnant les informations suivantes :

- Réfléchis à la situation de ta scène : une dispute, une réconciliation, etc.
- Indique le lieu où se déroule la scène.
- Présente et décris de façon précise les personnages qui vont intervenir dans la scène : âge, caractère, humeur, vêtements et accessoires.
- Décris leurs actions.

Ton texte doit avoir 80 mots au minimum.

Unité 5 Engagés

Cette page est pour toi !

Colle, dessine, écris... tout ce que tu veux.

C'est grave !

1 Associie les proportions avec les pourcentages.

Les trois quarts **Les deux tiers** **25 %** **33 %** **50 %**

La moitié **Un tiers** **Un quart** **66 %** **75 %**

2 **A.** Lis le texte et réponds aux questions.

Le recyclage des téléphones portables en France.

La grande majorité des Français possèdent un téléphone portable mais l'évolution incroyable de la technologie fait que nos mobiles deviennent vite démodés et l'envie d'acheter un nouveau portable est grande.

Que faire de votre ancien téléphone ?

La durée de vie d'un téléphone portable est d'environ 18 mois. Chaque année, ce sont 18 millions de mobiles qui sont vendus en France. D'ailleurs, 97 % des Français de plus de 16 ans sont équipés d'un portable.

La plupart des téléphones remplacés fonctionnent encore, mais 42 % d'entre eux restent dans un tiroir, 27 % des utilisateurs les donnent à un proche et 6% les jettent. Pourtant, il ne faut pas les jeter à la poubelle puisque les téléphones sont composés de produits dangereux pour l'environnement et de métaux précieux et rares.

Et pourquoi ne pas les recycler ?

Il est vrai que le recyclage des portables est souvent compliqué et peu mis en avant. D'ailleurs, seuls 9 % des anciens téléphones sont recyclés en France.

Mais l'association Emmaüs a décidé de se lancer dans la vente des téléphones d'occasion et de ses matériaux. Elle travaille avec la société Atelier du Bocage qui est spécialisée dans le recyclage. Cette société reçoit 47 000 téléphones par mois. Sur ces 47 000 téléphones, 25 % peuvent être réutilisés, ils sont souvent vendus dans les pays en voie de développement.

Les 75 % restants sont démontés, le plastique et l'électronique sont recyclés, cela permet de créer de nouveaux portables sans épuiser les matières premières.

1. À quelle fréquence, en moyenne, change-t-on de téléphone portable ?
2. Que font la plupart des Français de leur ancien téléphone portable ?
3. Pourquoi ne faut-il pas jeter notre téléphone portable à la poubelle ?
4. Combien de téléphones portables délaissés sont encore utilisables ?
5. Que fait-on avec les téléphones portables qui ne sont plus utilisables ?

B. Et toi, que fais-tu de tes anciens téléphones portables ? À ton avis, que faut-il que tu fasses pour convaincre tes proches de recycler leur téléphone ?

3 **A.** Écoute cette émission **Allô ? Jeunesse, j'écoute** et complète les informations.

15

1. Marine a un gros problème avec ...
2. Elle souffre parce que ...
3. Cela dure depuis ...
4. Cela a lieu tous les jours, c'est pour ça que ...
5. Elle a peur c'est pour cela que ...
6. Elle a demandé de l'aide à ...
7. Marine a l'impression que ...

B. Relie les éléments de chaque colonne pour former une phrase.

Marine téléphone à **Allô ? Jeunesse, j'écoute**	afin de	qu'elle ne parle à personne.
Le groupe d'élèves s'est mis d'accord	pour	qu'il va l'aider.
L'interlocuteur pose des questions	pour	harceler Marine.
Marine a peur	c'est pour cela	comprendre la situation.
Son grand frère est en colère	c'est pour ça	demander de l'aide.

4

A. Qu'est-ce qu'il faut que tu fasses pour être un écocitoyen ?
Complète avec les verbes conjugués au subjonctif

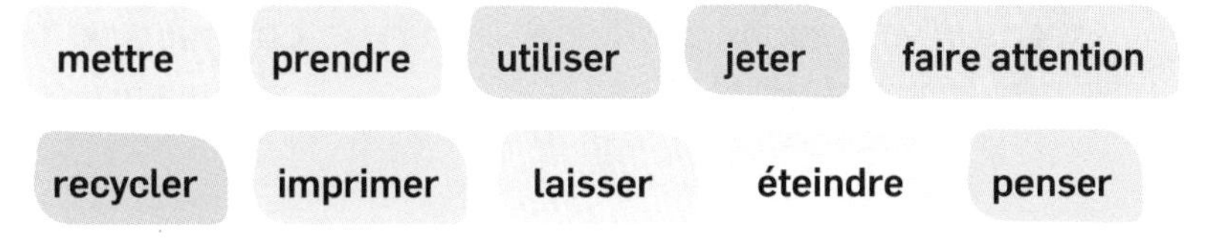

1. Pour économiser l'eau, il faut que je ... des douches.
2. Pour ne pas polluer la planète, il faut que je ... mes déchets.
3. Pour ne pas augmenter la production de CO2, il faut que j' ... les transports en commun.
4. Pour économiser de l'énergie, il faut que j' ... la lumière quand je sors d'une pièce.
5. Pour ne pas jeter la nourriture, il faut que je ... aux dates de péremption des produits.
6. Pour produire moins de déchets, il faut que j' ... les feuilles recto-verso.
7. Pour faire mes courses, il faut que je ... à prendre un sac recyclable.
8. Quand je suis sur la plage ou dans la nature, il faut que je ... mes déchets dans une poubelle.
9. Pour ne pas gaspiller d'énergie, il ne faut pas que je ... mes appareils électroniques en veille.
10. Pour ne pas gaspiller de chauffage, il faut que je ... un pull avant d'augmenter le chauffage.

B. Quels conseils respectes-tu ? Quels conseils ne respectes-tu pas ?

5

Choisis deux problèmes et propose une solution.

- L'analphabétisme des mineurs.
- Les adolescents qui ne partent pas en vacances.
- L'accès des bâtiments publics pour les handicapés.
- Le gaspillage alimentaire.
- Le racisme à l'école.
- Les troubles alimentaires chez les adolescents.

SOLUTIONS :

....

....

....

....

....

On s'implique !

1 Écoute ces informations et mets-les dans l'ordre.
Ensuite, fais un petit résumé de chaque événement.

16

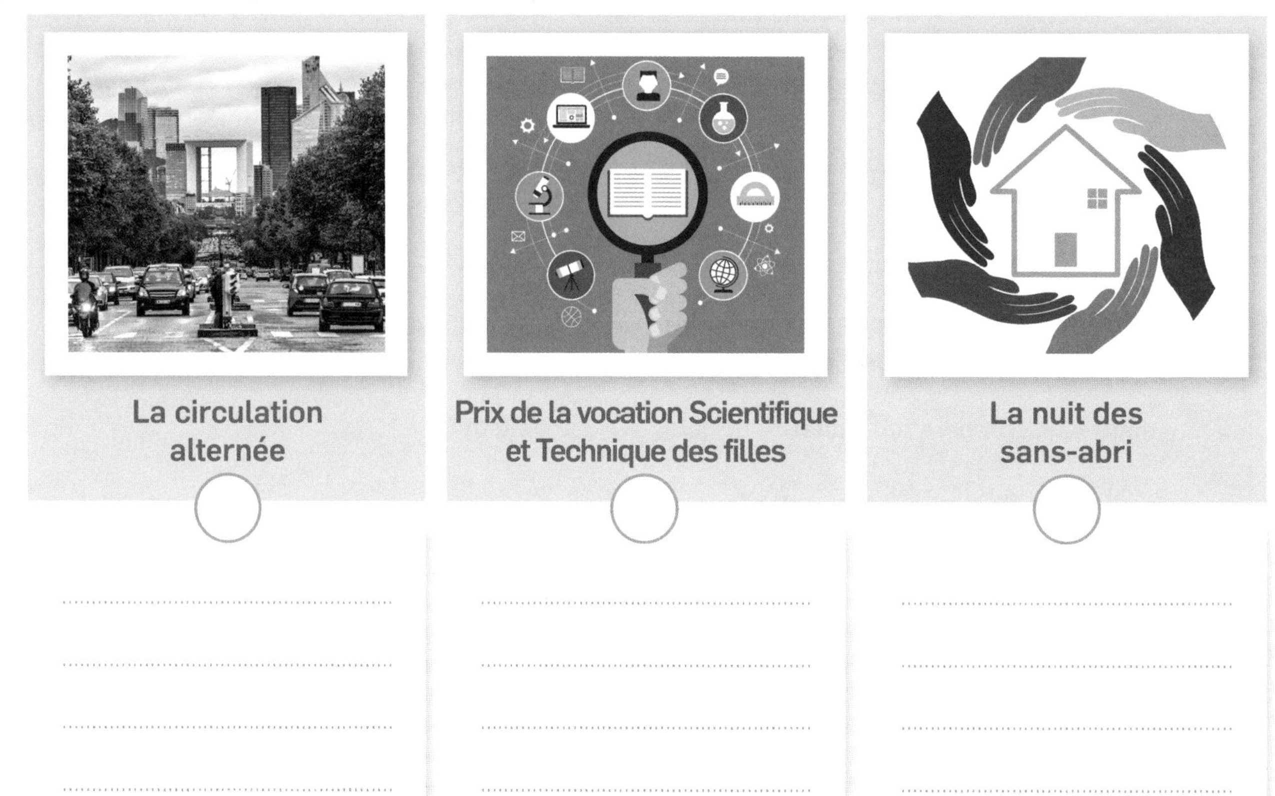

2 Complète cette carte heuristique avec des mots qui évoquent pour toi la solidarité.
Aide-toi du lexique que tu as vu dans ton livre.

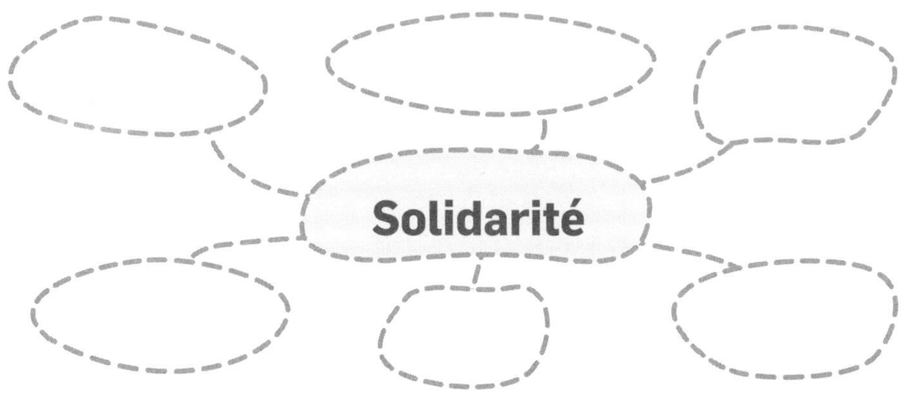

3 Associe les phrases.

1. Julie avait envie d'être utile...
2. Luc voulait aider les sans-abri...
3. Nous voulons préserver la planète...
4. Delphine n'aime pas voir souffrir les personnes âgées...
5. Grégory ne voulait plus se sentir seul avec son handicap...

- **a.** alors elle leur rend visite dans les maisons de retraite.
- **b.** donc nous recyclons nos déchets.
- **c.** alors il distribue des plateaux-repas tous les soirs.
- **d.** donc il a fondé une association.
- **e.** donc elle a commencé à faire du bénévolat.

4 Transforme les phrases comme dans l'exemple.

Exemple : Sophie et Marie trouvent que s'engager dans un projet solidaire est important.
→ D'après elles, s'engager dans un projet solidaire est important
→ Selon elles, s'engager dans un projet solidaire est important

1. Pierre trouve que les gens sont trop égoïstes et pas assez solidaires.
2. Mes amis et moi, nous trouvons qu'il existe peu d'associations d'entraide pour les adolescents.
3. Tu trouves que les gens ne recyclent pas assez.
4. Mes parents trouvent que tous les jeunes devraient être bénévoles.
5. Natacha trouve que si on veut vraiment, on peut changer les choses.

5 **A.** Julien témoigne sur le forum **www.jeunessolidaires.com**.
Complète le texte avec les mots.

association **aide** **s'engage** **impliquons**

solidaire **bénévole** **projet**

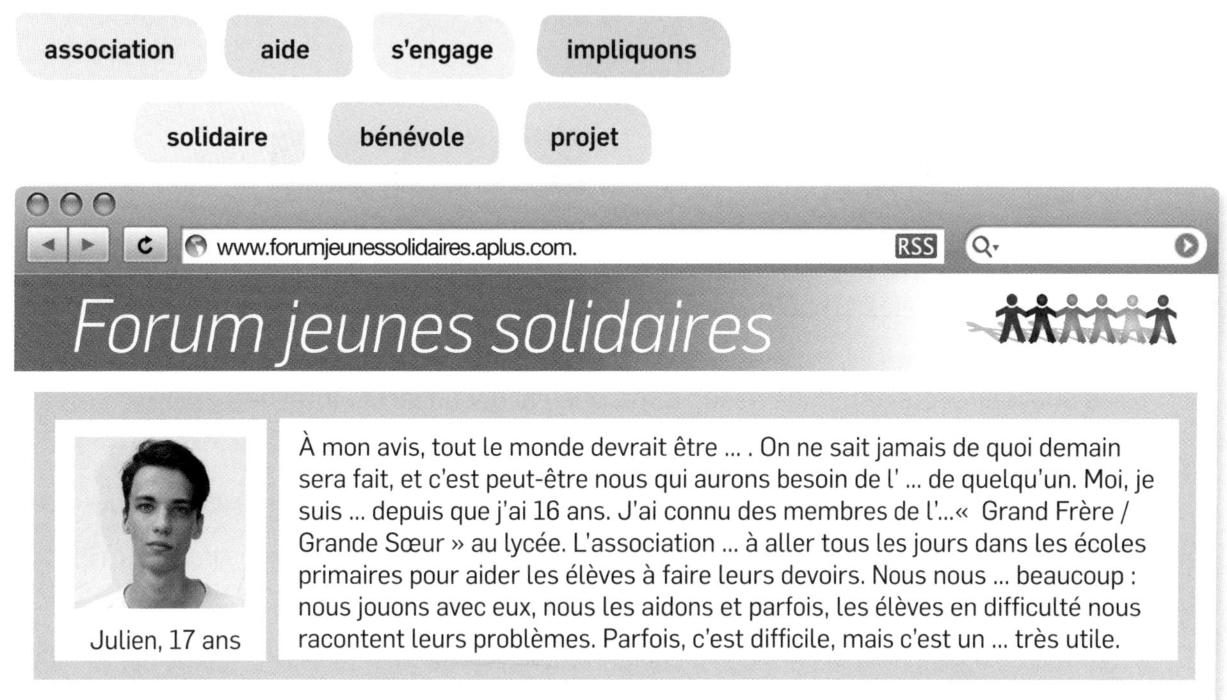

B. Laisse à ton tour un message sur le forum. Explique ce que tu penses de l'association « Grand Frère / Grande Sœur » et dis pourquoi tu aimerais y participer.

6 **A.** Écoute les mots suivants et complète.

17

1. Campi ...	**4.** Espa ... ol	**7.** ... angnan
2. Vi ... e	**5.** Pi ... –pong	**8.** ... orge
3. Ba ... ue	**6.** Ba ... age	**9.** Bowli ...

B. Écoute les mots une deuxième fois et répète-les.

On participe !

1 Quelle méthode pour inciter les gens à collaborer à un projet participatif illustre chaque image ?

2 Complète les phrases en utilisant ***à travers***, ***avec***, ***par*** ou ***en donnant***. (Plusieurs réponses sont possibles)

1. Je suis bénévole dans une association que j'ai découvert ... Internet.
2. ... de son temps, on peut changer les choses dans le monde.
3. ... les réseaux sociaux, les citoyens se mobilisent plus rapidement pour certaines causes.
4. La banque de temps, ... un échange de services mutuels, permet aux gens de s'entraider.
5. On peut sauver des vies ... son sang.
6. Je mange équilibré et je participe à une bonne cause ... le marché éco-solidaire de ma ville.
7. Nous faisons prendre conscience aux gens de l'importance de recycler ... des campagnes publicitaires.
8. Il s'agit de recycler de manière responsable ... le tri des déchets.

3 **A.** Écoute ces six adolescents et complète le tableau.

18

B. Quelles sont les personnes qui pourraient s'entraider ?

	Il/Elle sait...	Il/Elle a besoin de
Aurélie		
Pascaline		
Sergio		
Julien		
Géraldine		
Yann		

4 **A.** Complète les phrases librement comme dans l'exemple.

1. Cet été, au lieu de partir en vacances, on fait du bénévolat.

1. Cet été, au lieu de partir en vacances, ...
2. Nous avons fait la publicité pour notre course solidaire sur Internet plutôt que de ...
3. J'ai demandé à un ami de m'aider en maths, et je l'aide en français plutôt que de ...
4. Tous les soirs, j'aide mes petites sœurs à faire leurs devoirs au lieu de ...

B. Réfléchis à ce que tu fais habituellement et à ce que tu pourrais faire pour changer les choses dans le monde. Construis deux phrases.

Pendant les vacances, je pourrais m'engager dans une association plutôt que de sortir tous les jours avec mes copains.

5 Les élèves de 3ème du lycée Émile-Zola veulent s'impliquer pour aider des élèves de quartier difficiles. Lis leur compte-rendu et réponds aux questions.

Compte-rendu de la réunion des délégués des classes de 3ème

« Voici le compte-rendu de la réunion des quatre classes de 3ème pour l'organisation du projet solidaire et participatif. Nous avons décidé que le projet sera de collecter du matériel scolaire pour les élèves des quartiers en difficulté.

D'abord, le délégué de la 3ème A, Paul, a dit que sa classe voulait faire une collecte d'argent en faisant le buzz sur les réseaux sociaux afin de toucher le plus de personnes possibles. Mais Marie, la déléguée de 3ème B a rétorqué que nous ne connaissions pas assez de gens pour faire le buzz. Elle a ajouté que cette idée n'était pas efficace. Marie a dit que sa classe voulait qu'on organise une course solidaire, avec deux parcours, un de 5 km et un autre de 10 km accessibles aux marcheurs, aux coureurs et aux personnes qui sont handicapées, pour mobiliser l'intérêt de tous. Puis, c'était mon tour de parler, alors j'ai signalé que ma classe, la 3ème C, veut faire quelque chose de facile à réaliser. C'est pour cela que voulons organiser une collecte d'argent dans l'établissement puis ensuite nous achèterions nous-mêmes le matériel pour les élèves des quartiers en difficulté. Et enfin, Benjamin, de 3ème D a déclaré que sa classe proposait de revendre notre propre matériel en bon état lors d'un marché solidaire. Il a ajouté qu'avec cette idée, nous nous impliquons pour les élèves des quartiers en difficulté, mais aussi pour l'environnement parce que nous recyclons notre matériel.

Nous avons voté et c'est l'idée de la 3ème D, qui a remporté le plus de voix. Nous allons donc organiser un marché solidaire le 28 juin au sein de l'établissement. Paul nous a communiqué que la classe de 3ème A se chargerait de réaliser les affiches du marché et de faire la publicité sur les réseaux sociaux avec le professeur d'informatique.

Merci pour votre attention. »

1. Quel est le projet des élèves de 3ème ?
2. Quels sont les moyens proposés par chaque classe ? Pourquoi ? Complète le tableau.

	Moyen proposé	Pourquoi ?
3e A		
3e B		
3e C		
3e D		

3. À ton avis, quel moyen est le plus efficace pour ce projet ? Et le moins efficace ?

Production

Et pour demain on fait quoi ?

Avec ta classe, tu participes à ***La Semaine de la presse et des médias à l'école.***
Chaque élève doit rédiger un article dans une rubrique d'un journal francophone en ligne pour parler d'un sujet d'actualité.

- Choisis un problème qui existe dans ton pays : environnement, éducation, santé, etc.
- Présente le problème avec quelques chiffres, des pourcentages.
- Explique les causes et les conséquences de ce problème
- Propose des solutions pour améliorer la situation.

Ton texte doit avoir au minimum 80 mots.

Unité 6 Faites du bruit !

Cette page est pour toi !

Colle, dessine, écris... tout ce que tu veux.

La musique et moi

1 Observe l'affiche et écris un maximum d'instruments et de musiciens que tu reconnais. Ensuite indique s'il s'agit d'un instrument à cordes, à vent ou à percussion.

FÊTE DE LA MUSIQUE

21 juin / Venez nombreux !

....
....
....
....
....
....
....

2 Interroge un membre de ta famille ou un ami et remplis le tableau. Puis compare ces réponses avec celles obtenues par tes camarades de classe. Quels sont leurs points communs ? Et leurs différences ?

Tu écoutes de la musique...	OUI	NON
quand tu te lèves ?		
pour t'endormir ?		
lors de tes déplacements ?		
quand tu fais du sport ?		
pour faire tes devoirs ?		

Tu écoutes de la musique...	OUI	NON	Ça dépend
pour te détendre ?			
pour chanter ?			
pour te concentrer ?			
parce que tu joues d'un instrument de musique ?			
pour te donner de l'énergie ?			

3 **A.** Le magazine **Zik À plus** a fait un sondage auprès des jeunes pour connaître leur relation avec leur musique. Lis et coche Vrai ou Faux.

Quelle est votre relation avec la musique ?

Lucille, 15 ans

Moi, j'écoute de tout comme musique. En fait, j'écoute de la musique à la radio, sur mon portable. Je l'écoute surtout le matin et le soir pendant que je vais et reviens du lycée. La musique, c'est un moyen de passer le temps. Je ne vais jamais écouter des concerts. Mais l'été, je vais souvent assister à des festivals parce que j'aime l'ambiance et je découvre parfois de nouveaux groupes peu connus.

Mathieu, 17 ans

Je ne peux pas me passer de musique. Quand je dois sortir, je sors toujours avec mon MP3. J'écoute surtout du rock. J'aime beaucoup le rock anglais des années 1960-1970 et actuel. J'adore les concerts, j'y vais au moins une fois par mois. Parfois, j'achète des CD, mais le plus souvent je télécharge la musique. Pour moi, la musique, c'est la chose la plus importante dans ma vie. Elle me permet de me détendre, de réfléchir et de connaître de nouveaux univers.

Mathilde, 15 ans

J'aime tous les styles de musiques. Quand je suis chez moi, j'aime mettre des disques. J'aime écouter de la musique classique pour me détendre, m'évader. Dans la rue, j'écoute plutôt de la pop, sur mon téléphone. Et quand je suis dans le métro, j'aime regarder des concerts sur Youtube. Je vais assister à des concerts deux ou trois fois par an.

Alexandre, 16 ans

Moi, j'écoute des chansons avec des vraies paroles. Les tubes de l'été, très peu pour moi ! Souvent, je télécharge la musique ou je l'écoute sur des applications de reproduction en ligne, comme Spotify, comme ça, je peux écouter de la musique partout où je vais avec mon téléphone. Je vais assister des concerts seulement quand mes artistes préférés passent près de chez moi. Peut-être trois fois par an.

1. Lucille écoute de la musique sur son MP3. ▢ VRAI / ▢ FAUX
2. Pour Lucille, écouter de la musique est un passe-temps. ▢ VRAI / ▢ FAUX
3. Mathieu va assister à des concerts tous les mois. ▢ VRAI / ▢ FAUX
4. Mathieu achète des CD plutôt que de les télécharger. ▢ VRAI / ▢ FAUX
5. Quand elle est dans la rue, Mathilde écoute de la musique classique. ▢ VRAI / ▢ FAUX
6. Mathilde achète des DVD pour regarder des concerts. ▢ VRAI / ▢ FAUX
7. Alexandre adore les tubes de l'été. ▢ VRAI / ▢ FAUX
8. Alexandre va en concert seulement si c'est près de chez lui. ▢ VRAI / ▢ FAUX

B. Et toi ? Quelle est ta relation avec la musique ? Quand écoutes-tu de la musique ? Où et comment ? Tu vas souvent assister à des concerts ?

4 Coche la bonne réponse.

1. Je chante **tellement/si** mal que mes amis m'interdisent de fredonner !
2. Pierre a **tellement/si** de talent qu'il va participer à un concours de jeunes musiciens.
3. Jouer de la guitare est **tellement/si** important pour moi que je joue deux heures par jour, tous les jours.
4. Mes parents ont **tellement/si** de CDs qu'ils ne savent jamais quel CD écouter !
5. J'aime **tellement/si** assister à des concerts que j'utilise tout mon argent de poche pour voir mes artistes préférés.

Chacun ses goûts

1 **A.** Présente un(e) chanteur/chanteuse de ton pays pour chacune de ces époques. Tu peux coller une photo des artistes choisis.

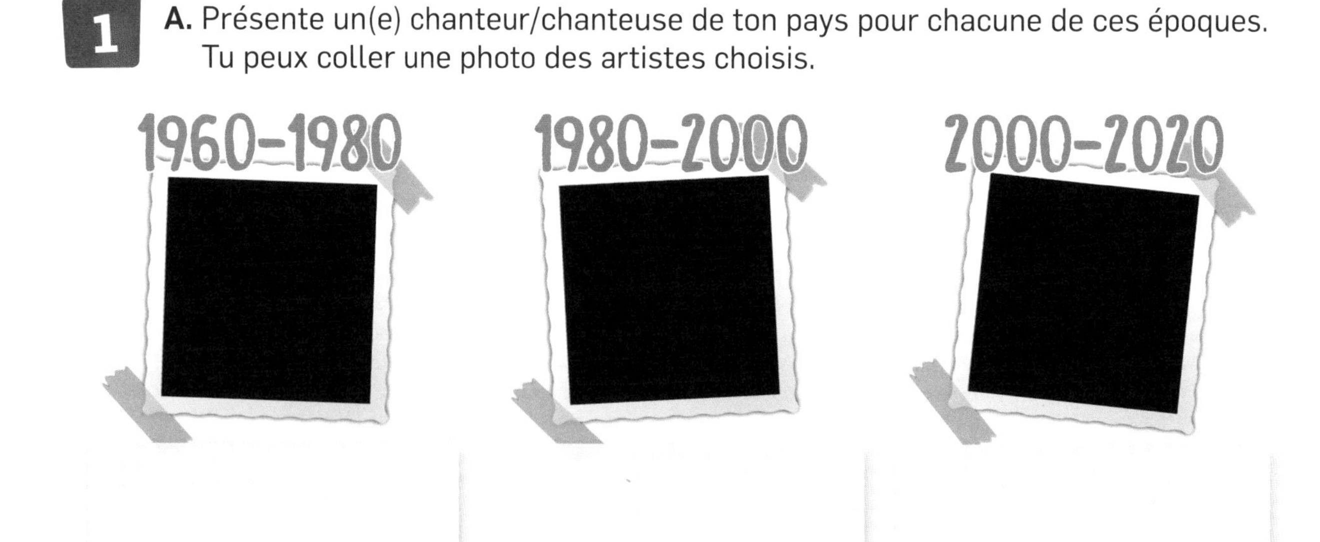

B. À ton avis, quel artiste ou groupe représente le mieux ces styles musicaux ? Justifie ta réponse et illustre-la.

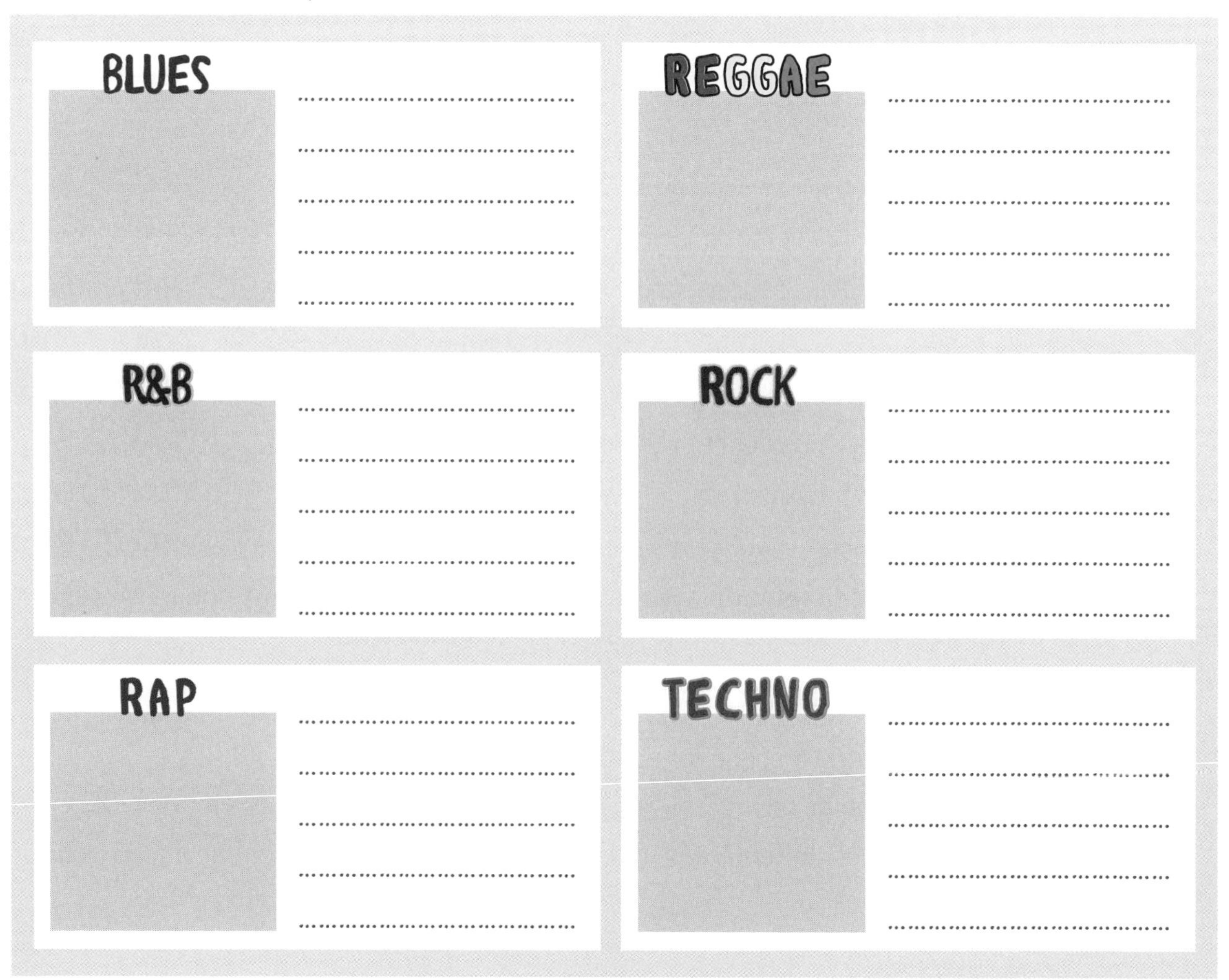

2 Indique si les phrases suivantes sont à la forme active ou passive.

1. Ce chanteur a été découvert grâce au programme de TV « *The Voice* ».
2. Il a surpris le jury et le public par son incroyable voix.
3. Son premier album a été vendu à 500 000 exemplaires.
4. Mon chanteur préféré a gagné un prix aux Victoires de la Musique.
5. Le prix de la chanteuse francophone de l'année a été décerné à Cœur de Pirate.

Active	Passive

3 **A.** Transforme les phrases suivantes à la forme passive.

1. Stromae a gagné plusieurs prix aux Victoires de la Musique.
2. Les professionnels de la musique apprécient la dernière chanson de Renan Luce.
3. Bénabar a remporté un disque d'or.

B. Transforme les phrases suivantes à la forme active.

1. Ma chanson a été applaudie par le public.
2. Le slam a été révélé au grand public par Grand Corps Malade.
3. Les smartphones sont utilisés par les jeunes pour écouter de la musique.

4 Lis les résumés des articles de presse et trouve un titre pour chacun à la forme passive.

On connaît la programmation de l'Olympia pour l'année 2016. La célèbre salle de concert parisienne a publié le calendrier des événements musicaux pour le printemps et l'été 2016. De nombreux chanteurs français et étrangers viendront interpréter leur album.

Un sondage réalisé auprès de 1000 Français a montré que la chanson de Renaud « *Mistral gagnant* » reste pour la deuxième année consécutive « Chanson préférée des Français ». Un choix difficile pour les sondés puisqu'un jury de professionnels avait retenu 100 chansons.

Après une saison riche en rebondissement et une finale très disputée par les deux candidats, c'est finalement Kenza qui a remporté le concours de chant « *The Voice* ». Pour cette finale, Kenza a chanté « *La Vie en rose* » d'Edith Piaf, son interprétation a ému le jury qui a voté pour elle à l'unanimité.

5 Complète les phrases librement comme dans l'exemple.

1. J'écoute tous les styles de musique. Mais je préfère le hip-hop.

1. J'écoute tous les styles de musique. Mais je préfère quand même ...
2. J'adore aller voir des concerts. Pourtant ...
3. Je déteste la musique classique. Mais j'aime malgré tout ...
4. Je ne peux pas me passer de musique. Mais, pourtant, quand je fais mes devoirs ...
5. Ce groupe rencontre énormément de succès auprès des adolescents mais, malgré tout, je pense que ...
6. Je télécharge beaucoup de musique, mais quand même, quelques fois ...

Tout finit par des chansons

1 Relie les expressions imagées avec leur signification.

être optimiste | **l'amour empêche de voir les défauts de l'autre**

être généreux | **ne pas aller à un rendez-vous** | **être étourdi**

L'AMOUR REND AVEUGLE

AVOIR LE COEUR SUR LA MAIN

VOIR LA VIE EN ROSE

POSER UN LAPIN

AVOIR LA TÊTE DANS LES NUAGES

2 Lis les strophes de ces chansons et associe les étiquettes avec la métaphore soulignée qui correspond.

avoir des cheveux blancs | **dimanche** | **La liberté d'expression n'existe pas**

Aujourd'hui est une journée morte
La moitié déjà commencée, il va falloir faire vite
Dehors, les magasins fermés, ruelles de western
Donnent au quartier des allures de ville fantôme
Dis-moi dimanche, Aldebert, 2004

C'est d'les voir, les épouses
Sacrifier de longues heures
A attendre qu'un coiffeur
Ait teinté leurs ch'veux blancs

Ce trop d'sel dans le poivre
Qui, pour elles, est si grave
Et qui est injustement
Au masculin, charmant
Les épouses, Lynda Lemay, 2003

Là -bas
Tout est neuf et tout est sauvage
Libre continent sans grillage
Ici, nos rêves sont étroits
C'est pour ça que j'irai là -bas
Là-bas, Jean-Jacques Goldman, 1987

3 Transforme les phrases en utilisant le pronom relatif ***dont***.

1. C'est un artiste. Tout le monde parle de cet artiste.
2. J'ai oublié le nom du chanteur de cette chanson. Cette chanson passe à la radio.
3. J'ai besoin d'une seule chose pour me détendre. La seule chose est écouter de la musique.
4. J'ai envie d'une guitare électrique. Le prix de la guitare électrique est de 500 euros.

4 A. Sur la boîte vocale de **Radio2jeunes**, Maël laisse un message pour témoigner de son dernier coup de cœur musical. Écoute et complète la fiche.

19

- Titre de la chanson : .... • Groupe : ....
- Style musical : ....
- Comment Maël qualifie-t-il la chanson ? ....
  - Le thème : .... - Les paroles : ....
  - Le rythme : .... - La voix : .... - Les instruments : ....
- Il dit que c'est une chanson qui est bien pour : ....
- Pourquoi il aime cette chanson ? ....

B. À toi ! Écris un petit texte pour présenter ton dernier coup de cœur musical.

5 **A.** Lis la chanson « *Le Temps des cerises* » et complète les paroles en t'aidant des rimes.

douleur **rêvant** **offerte** **jour** **cruelles** **pareilles**

Quand nous chanterons le temps des cerises
Et gai rossignol et merle moqueur
Seront tous en fête
Les belles auront la folie en tête
Et les amoureux du soleil au cœur
Quand nous chanterons le temps des cerises
Sifflera bien mieux le merle moqueur

Mais il est bien court le temps des cerises
Où l'on s'en va deux cueillir en rêvant
Des pendants d'oreilles
Cerises d'amour aux robes ....
Tombant sous la feuille en gouttes de sang
Mais il est bien court le temps des cerises
Pendants de corail qu'on cueille en ....

Quand vous en serez au temps des cerises
Si vous avez peur des chagrins d'amour
Evitez les belles
Moi qui ne crains pas les peines ....
Je ne vivrai pas sans souffrir un ....
Quand vous en serez au temps des cerises
Vous aurez aussi des peines d'amour

J'aimerai toujours le temps des cerises
C'est de ce temps-là que je garde au cœur
Une plaie ouverte
Et Dame Fortune, en m'étant ....
Ne saura jamais calmer ma ....
J'aimerai toujours le temps des cerises
Et le souvenir que je garde au cœur

B. Réponds aux questions suivantes.

1. À quelle saison le chanteur se réfère-t-il quand il parle du « temps des cerises » ?
2. Que se passe-t-il pendant ce temps des cerises ?
3. Explique la métaphore « les amoureux [auront] du soleil au cœur ».
4. Que se passe-t-il après le temps des cerises ?

6 Trouve des mots pour faire des rimes.

Demain **Travail** **Pleurs** **Fête** **Bateau** **Aimer**

Soleil **Mer** **Désert** **Perdu**

J'adore ce groupe !

Tu décides d'écrire un message sur le blog **En avant la musique** pour présenter un artiste de ton pays.

- Tu décris le style musical de cet artiste
- Tu donnes ton opinion sur son dernier album.
- Tu parles de ses chansons
- Tu expliques pourquoi tu as choisi de présenter cet artiste.

Ton texte doit avoir au minimum 80 mots.

MON PORTFOLIO

1 Mon utilisation du français

Actuellement, j'utilise le français quand...

		Oui	Oui, mais avec difficulté	Oui, mais avec beaucoup de difficulté	Non, pas encore
COMPRÉHENSION ORALE	J'écoute de la musique.				
	Je regarde des films en version originale (avec ou sans titres).				
	J'écoute des émissions de radio (sur Internet par exemple).				
	- Autre occasion :				
	Non, je n'ai pas l'occasion d'écouter le français en dehors des cours.				
	- Autre occasion :				
EXPRESSION ORALE	Je parle avec des amis qui le parlent aussi.				
	Je parle avec certaines personnes de ma famille.				
	Je réponds aux questions que des touristes me posent en français dans la rue.				
	- Autre occasion :				
	Non, je n'ai pas l'occasion de parler le français en dehors des cours.				
	- Autre occasion :				
COMPRÉHENSION ÉCRITE	Je fais des recherches sur Internet (ex. dictionnaires en ligne, Wikipédia).				
	Je lis des renseignements sur des chanteurs ou des films que j'aime.				
	Je vais sur des forums ou des blogs en français.				
	Je veux lire des actualités.				
	Je dois faire un travail pour le collège.				
	- Autre occasion :				
	Non, je n'ai pas l'occasion de lire le français en dehors des cours.				
	- Autre occasion :				
EXPRESSION ÉCRITE	J'envoie des mails à des amis ou à des personnes de ma famille.				
	J'envoie des mails pour demander des renseignements.				
	Je participe à des forums ou d'autres échanges sur Internet.				
	Je veux apporter une contribution sur un wiki (ex. article de Wikipédia).				
	- Autre occasion :				
	Non, je n'ai pas l'occasion d'écrire le français en dehors des cours.				
	- Autre occasion :				

2 Mes objectifs

Après avoir rempli ce petit questionnaire, est-ce que tu aimerais pouvoir répondre différemment à certaines questions ? Lesquelles surtout ?

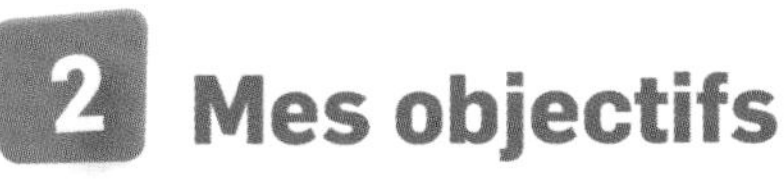

MON PORTFOLIO

1

A. Tu es entouré de choses, de produits, de textes qui proviennent d'autres langues. En es-tu conscient ? Trouve des mots que l'on utilise souvent en français et qui viennent... Aide-toi d'un dictionnaire ou d'Internet.

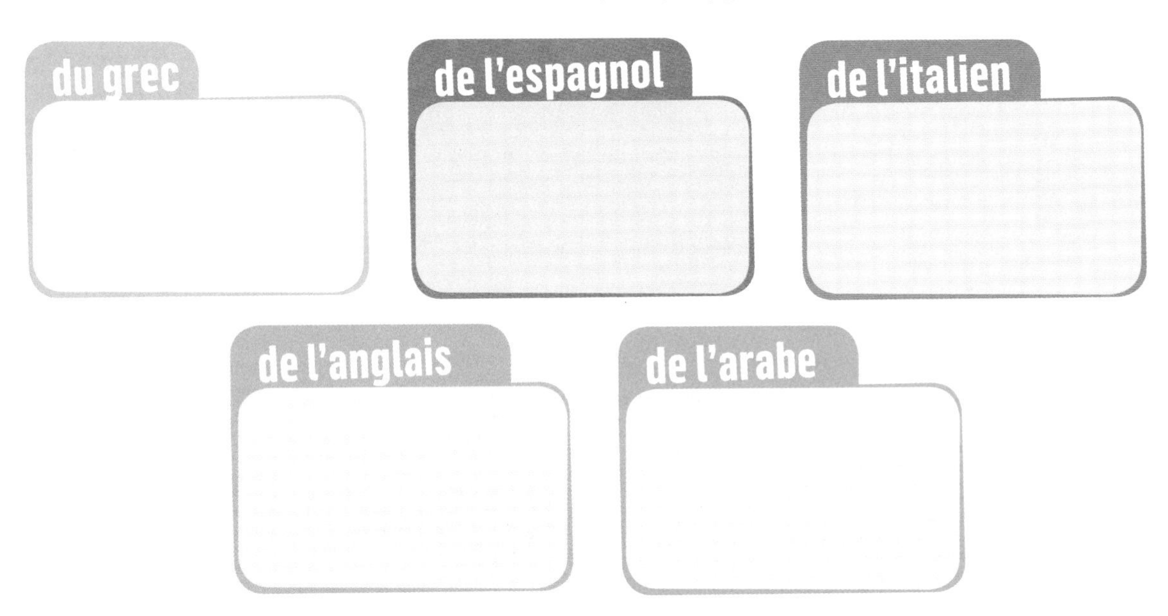

B. Dans ta ville ou dans ton quartier, tu peux trouver des produits... Lesquels ?

Orientaux :

Américains :

Européens :

Africains :

C. Quand tu lis des magazines / tu vas au cinéma / tu écoutes la radio...

	jamais	parfois	souvent
tu cherches des mots dans le dictionnaire			
tu découpes des articles ou photos qui t'intéressent			
tu essaies de voir les films en version originale (V.O.)			
tu cherches les paroles de chansons sur Internet			
tu cherches des sites dans d'autres langues sur des chanteurs			

Donne trois autres exemples de moments ou de lieux où tu utilises / côtoies d'autres langues étrangères.

MON PORTFOLIO

1 Apprendre une langue, ce n'est pas seulement apprendre à conjuguer des verbes, à placer des accents, à bien prononcer des sons ou à connaître par cœur des listes de vocabulaire, c'est aussi et surtout apprendre à connaître les personnes qui la parlent et connaître leurs habitudes quotidiennes : à quelle heure elles se lèvent, de quoi se composent leurs repas, etc.

Nous te proposons de faire le point sur certains aspects de la vie des jeunes adolescents français de ton âge et que tu les compares avec les tiens. Dis ce qui te paraît vraiment différent de ta réalité quotidienne en ce qui concerne...

HORAIRES
HABITUDES
SALUER
S'HABILLER
LOISIRS

les horaires (l'heure des repas, les horaires du collège, etc.)	....
les habitudes alimentaires	....
la façon de saluer	....
la façon de s'habiller	....
les loisirs	....
Y a-t-il des aspects qui t'ont surpris ? Les habitudes de jeunes français sont-elles vraiment différentes des tiennes ?	....

MON PORTFOLIO

Unité 4

1 Tu étudies une ou plusieurs langues étrangères au lycée, mais est-ce que tu les utilises en dehors des cours ? Comment ça se passe ?

Lire un livre dans une langue étrangère :	**oui**	**non**
1. Tu traduis tous les mots que tu ne connais pas.		
2. Tu choisis toujours une édition bilingue.		
3. Tu essaies de comprendre le sens général sans traduire.		
4. Tu traduis seulement les mots qui te gênent pour comprendre.		
5. Tu ne lis jamais de livre dans une autre langue, c'est trop dur !		

Les films en version originale (V.O.) :	**oui**	**non**
1. En général, tu bloques et tu ne comprends rien à l'histoire.		
2. Tu choisis toujours les films sous-titrés.		
3. Tu ne lis pas vraiment les sous-titres et tu fais plus attention à l'intonation, aux gestes ou aux visages des acteurs.		
4. Tu préfères les films doublés.		
5. Avec les DVD, c'est facile, tu mets toujours la version dans ta langue.		

2 **A.** Que penses-tu de tes capacités de compréhension d'une langue étrangère ? Tu en es :

1. Très satisfait.	
2. Plutôt satisfait.	
3. Pas très satisfait.	
4. Pas du tout satisfait.	

B. Comment penses-tu pouvoir améliorer ton niveau ?

3 En groupe, mettez en commun vos idées pour lire plus facilement dans une autre langue ou pour regarder des films en V.O. tout en vous faisant plaisir.

4 Quelles sont les techniques qui te semblent les plus appropriées pour toi ?

MON PORTFOLIO

Unité 5

1 Dans cette unité, tu as appris à parler en français des problèmes de notre monde. Tu en connaissais certainement déjà beaucoup et tu en as peut-être découvert d'autres.

Nous te proposons de réunir sur cette page quatre causes dans quatre domaines qui te semblent important de défendre. Dessine ou colle dans chaque encadré une image associée à la cause présentée et indique sur la fiche les raisons de ton choix et, si possible, un ou des sites Internet pour en savoir plus.

MON PORTFOLIO

Unité 6

1 Bilan de mes connaissances

		Oui	Oui, mais avec difficulté	Oui, mais avec beaucoup de difficulté	Non, pas encore
COMPRÉHENSION DE L'ORAL	**Quand un interlocuteur emploie des phrases simples pour parler de sujets quotidiens et que cette personne sait que j'apprends le français…**				
	Je le comprends quand il présente une autre personne.				
	Je le comprends quand il donne des indications simples pour aller quelque part (à pied ou en transport public).				
	Je peux aussi comprendre…				
	le sens général d'une conversation que j'entends.				
	le sujet principal d'un récit qui contient des éléments au passé, au présent et au futur.				
	les points essentiels d'un document journalistique présenté dans une langue standard.				
	Je peux aussi… **Je dois encore améliorer…**				
COMPRÉHENSION ÉCRITE	Je peux comprendre l'information essentielle de textes courts sur des sujets précis ou courants.				
	Je peux repérer l'information essentielle dans des articles de presse ou sur des sites Internet.				
	Je peux suivre les faits essentiels d'un récit.				
	Je peux aussi… **Je dois encore améliorer…**				
EXPRESSION ORALE (CONVERSATION / EXPOSITION)	Je peux donner et justifier mon opinion				
	Je peux exprimer mes sentiments				
	Je peux participer à la plupart des conversations de la vie de tous les jours.				
	Je peux parler avec des jeunes de mon âge sur des sujets qui m'intéressent.				
	Je peux parler de ce que j'ai fait.				
	Je peux résumer des sujets sur lesquels j'ai travaillé.				
	Je peux parler de mes projets.				
	Je peux aussi… **Je dois encore améliorer…**				
EXPRESSION ÉCRITE (INTERACTION / EXPOSITION)	Je peux rédiger des textes courts sur des informations que j'ai lues ou entendues.				
	Je peux rédiger des textes courts sur des projets personnels.				
	Je peux rédiger des textes sur mon entourage, mes habitudes…				
	Je peux écrire des biographies ou des textes courts sur des personnes.				
	Je peux structurer un texte à partir d'une prise de notes.				
	Je peux rapporter un événement.				
	Je peux participer à des échanges sur Internet.				
	Je peux aussi… **Je dois encore améliorer…**				

En route vers le DELF !

1 Compréhension orale

Réponds aux questions en cochant (X) la bonne réponse ou en écrivant l'information demandée.

Exercice 1

20

1. Quelle est la recette proposée ?

☐ Une compote de fruits
☐ Une salade de fruits
☐ Une tarte aux fruits

2. À quelle fréquence le cuisinier cuisine-t-il cette recette ?

☐ Une fois par jour
☐ Toutes les semaines
☐ Une fois par mois

3. Quels sont les ingrédients nécessaires à la préparation de la crème ?

☐ Du beurre ☐ De la farine ☐ Du sucre
☐ De la crème fraîche ☐ Du lait ☐ Du sel
☐ De l'eau ☐ Des œufs ☐ De la vanille

4. Relie les quantités avec les fruits comme indiqué dans la recette.

- 2 •	• ananas
- 100 grammes •	• fraises
- 150 grammes •	• framboises
- La moitié de •	• kiwis
- 1 •	• banane, orange

Exercice 2

21

1. À quelles personnes l'association vient-elle en aide ?

☐ Les enfants ☐ Les malades ☐ Les personnes âgées

2. Qu'est-ce qui motive Charlotte à être bénévole ? ....

3. Combien de personnes souffrent de la solitude ?

☐ 1 % ☐ 15 % ☐ 20 %

4. À quelle action a participé Charlotte pour récolter de l'argent ?

....

5. Grâce à l'action menée par Charlotte, qu'a pu acheter son association ?

☐ Des jouets ☐ De la nourriture ☐ Des ordinateurs

2 Compréhension écrite

Exercice 1. Lis ce texte et réponds aux questions suivantes.

10 novembre
Quelle journée aujourd'hui ! Heureusement que ce n'est pas tous les jours comme ça ! Je crois que c'était ma journée « Reste couchée, c'est mieux ! » D'abord ce matin, pour aller au lycée, j'ai mis mon nouveau pull Boxy qui est trop beau. J'étais trop contente ! Et au petit déjeuner, j'ai renversé mon chocolat dessus. La catastrophe ! En plus, j'ai dû mettre mon vieux pull vert horrible, tous les autres étaient sales. Au lycée, la prof d'anglais a rendu les contrôles de la semaine dernière. L'horreur, j'ai eu 5 ! Quand mon père va voir ça... ! Ensuite, le prof d'histoire m'a interrogée à l'oral... je ne savais rien ! Il m'a mis une mauvaise note, mais il va me donner une autre chance demain. C'est cool, mais je dois étudier toute la soirée, sinon c'est 0 ! Après, je me suis disputée avec Samia... pour rien du tout en plus. Elle croit que j'ai parlé d'elle à Kevin parce qu'hier j'ai mangé avec lui à la cantine. Et maintenant, elle ne veut plus me parler. C'est vraiment nul ! Le seul truc positif de la journée, c'est que le dentiste a appelé. Mon rendez-vous de demain est annulé. Mais bon, je vais devoir y aller un autre jour, alors finalement, c'est pareil.
Bon allez, je vais étudier...
À demain !
M.

1. Ce texte est extrait :
- ☐ d'un article de presse
- ☐ d'un journal intime
- ☐ d'une publicité

2. La personne qui écrit raconte :
- ☐ sa journée
- ☐ sa soirée
- ☐ sa semaine

3. Vrai ou Faux ? Coche la case correspondante et justifie ta réponse avec une phrase du texte.

	Vrai / Faux
1. M. a passé une très mauvaise journée. **Justification :**	V F
2. Elle est allée au lycée avec son pull Boxy noir. **Justification :**	V F
3. M. a eu une note moyenne à un contrôle d'anglais. **Justification :**	V F
4. Elle a eu un 0 à un contrôle d'histoire. **Justification :**	V F
5. Le professeur d'histoire va l'interroger demain. **Justification :**	V F
6. Samia et M. ne se parlent plus. **Justification :**	V F
7. M. va chez le dentiste demain. **Justification :**	V F

Exercice 2.
Lis cette critique de film.

Qu'est-ce qu'on a fait au Bon Dieu ?
Le scénariste Guy Laurent et le réalisateur Philippe de Chauveron, racontent comment de grands bourgeois provinciaux (Christian Clavier et Chantal Lauby), très conservateurs et parents de quatre filles, vont de déception en désillusion en ce qui concerne leurs gendres. Entre un Juif, un Chinois et un Musulman, leur dernier espoir repose sur leur cadette pour voir réaliser leur rêve d'avoir un gendre blanc et catholique, comme eux. Quand leur dernière fille leur avoue qu'elle veut se marier avec Charles, les parents sont ravis. Ils déchanteront vite quand ils verront que Charles est... noir. Ce film, qui s'attaque aux préjugés et au racisme, est une réussite comme en témoigne les éclats de rire d'un public jeune et mixte dans les salles de cinéma au moment de sa sortie, le 10 février 2014.

1. Complète la fiche du film.

Titre :
Genre :
Date de sortie :
Réalisateur :
Scénariste :
Acteurs principaux :

2. Dis si c'est Vrai ou Faux. Justifie ta réponse.

- Les critiques n'ont pas aimé le scénario du film.
- Les parents sont déçus par les maris de leurs filles.
- Le public a beaucoup ri avec ce film.

3 Expression écrite

Exercice 1. Tu adores le sport, cet été tu es parti(e) dans un camp sportif au bord de la mer. Tu envoies une carte postale à ton/ta meilleur(e) amie pour lui raconter tes vacances. Tu lui parles aussi de la relation que tu as avec la personne avec qui tu partages ta chambre. (80 - 100 mots)

Exercice 2. Tu organises ta fête d'anniversaire. Tu écris un mail d'invitation à tes amis. Tu leur dis que le thème est « Les années 3000 ». Tu leur indiques le déguisement qu'ils doivent porter et tu leur donnes quelques règles à respecter (objets, comportements) pendant la fête. (80 – 100 mots)

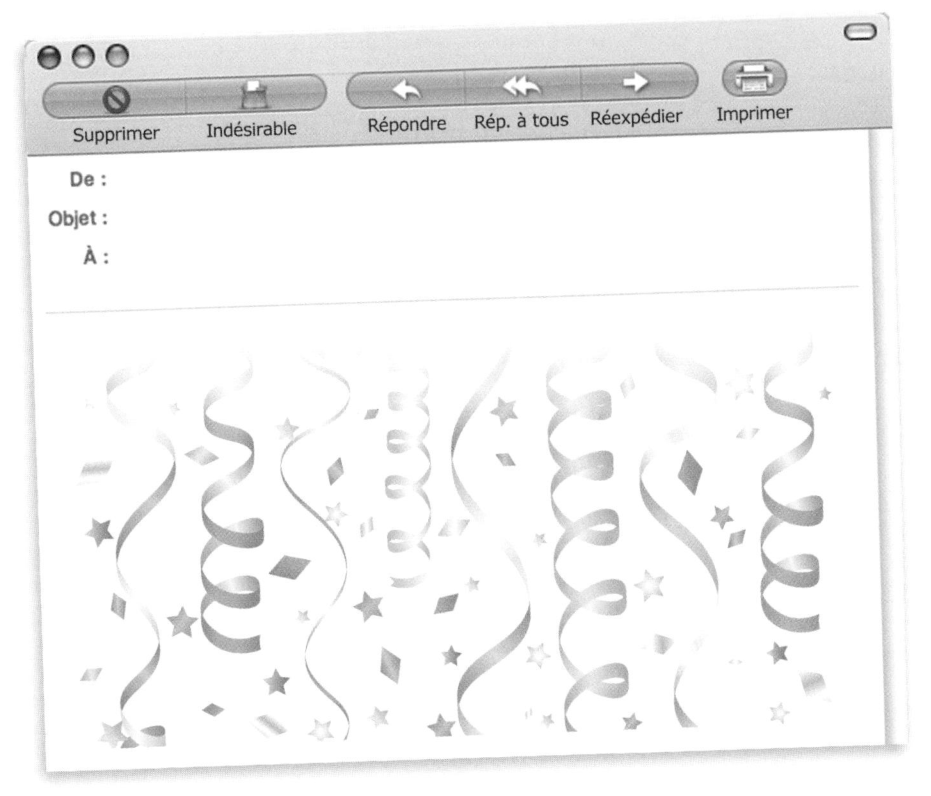

4 Expression orale

Entretiens dirigés

Dans les épreuves du DELF, on te demandera de te présenter. Présente-toi en parlant de ta famille, de ton caractère, de tes goûts, etc. Ensuite, l'examinateur te posera des questions. Entraîne-toi avec un camarade ou avec ton professeur.

Exercice 1 : Monologues

On te demandera aussi de faire un monologue sur un sujet qui te concerne, puis l'examinateur te posera des questions. Voici trois exemples de sujets. Entraîne-toi avec un camarade !

1. Que fais-tu quand tu vas à la montagne ? À la plage ? À la campagne ?
2. Décris ton/ta meilleur(e) ami(e). Pourquoi vous entendez-vous bien ?
3. As-tu une alimentation équilibrée ? Que manges-tu et que fais-tu comme sport pour rester en forme ?

Exercice 1 : Dialogues

À deux, choisissez un des sujets suivants et préparez le dialogue.

Tes parents veulent aller passer des vacances en famille à la montagne. Tu préfères aller à la mer. Tu en parles avec eux.

Sujet 1

Ton/Ta meilleur(e) ami(e) n'est pas vraiment ponctuel(le) ! Il/Elle arrive encore en retard pour aller au cinéma. Vous vous disputez.

Sujet 2

Exercice 2 : Monologues

1. Quel est ton groupe ou ton/ta chanteur/chanteuse préféré(e) ? Présente-le/la et explique pourquoi.
2. Pour quelle cause serais-tu prêt à t'engager ? De quelle manière ?
3. Quel est le dernier film que tu as vu ? Raconte.

Exercice 2 : Dialogues

À deux, choisissez un des sujets suivants et préparez le dialogue.

Avec un(e) camarade vous discutez des problèmes qu'il y a dans votre lycée (organisation, ambiance, emploi du temps, règlement, matières, etc.) et trouvez des solutions possibles pour les résoudre.

Sujet 1

C'est l'anniversaire d'un(e) ami(e). Avec un autre ami, vous voulez lui offrir un CD. Avant d'aller l'acheter, vous discutez ensemble de ses goûts musicaux.

Sujet 2

Unité 1 : En route

Piste 1 Leçon 1. Activité 3

● **Père :** Et tu crois que ça leur plairait d'aller à Paris ?
○ **Mère :** Pourquoi pas ! Charline a dit qu'elle voulait y aller. En plus, elle aime bien les musées, l'histoire... Je crois qu'elle aimerait visiter le Louvre, la Tour Eiffel... C'est intéressant pour elle.
● **Père :** Oui, mais, pour Lucas... c'est pas terrible. Tu sais bien que lui, la ville, ça ne le passionne pas.
○ **Mère :** Pour une fois, ça lui ferait du bien. Il y a des choses intéressantes pour lui aussi dans le programme. Regarde, la Foire du Trône, il rêve d'y aller ! Il y a un concert aussi, c'est sympa.
● **Père :** Ça, oui, mais le reste... Il y a trop de visites, de monuments... A mon avis, il va s'ennuyer.
○ **Mère :** Tu as peut-être raison... dommage, en juillet c'était bien, on pouvait aller avec eux.
● **Père :** Bon, alors à part ça, il y a quoi ?
○ **Mère :** Le camp international au mois d'aout. Ça a l'air bien.
● **Père :** Tu crois ?
○ **Mère :** Oui, regarde, c'est varié. Il y a du sport, pour Lucas, c'est parfait, et il y a aussi des activités artistiques. Je pense que Charline aimera aussi. Bon, 3 jours de randonnée, c'est beaucoup peut-être. Mais ils vont s'amuser, je pense. Et puis, les soirées vont être animées dis donc jeux, chansons, concours de sketches... quel programme !
● **Père :** Oui, c'est vrai, c'est bien... Mais c'est un peu loin, tu ne trouves pas ?
○ **Mère :** Mais non, c'est en Auvergne, il y a juste une demi-journée de voyage.
● **Père :** Ah bon ? Et pourquoi « camp international » alors ?
○ **Mère :** Parce qu'il y a des jeunes qui viennent d'autres pays. Je voudrais qu'ils parlent anglais ou espagnol, ce serait bien ! Bon, ça te va ? On leur propose ?
● **Père :** OK. Charline, Lucas ! Venez voir !
■ **Charline :** Oui, quoi ?
● **Père :** Regardez le programme de ce camp. C'est bien pour le mois d'aout, non ?
■ **Charline :** Ouais, c'est bien...
□ **Lucas :** Ouais, c'est pas mal, mais...
○ **Mère :** Mais... ?
■ **Charline :** Ben... Ben Laura et ses parents partent 15 jours sur la côte et elle m'a invitée à partir avec eux. Et j'ai vraiment envie de partir en vacances avec ma meilleure amie ! Dites, je peux y aller ?
○ **Mère :** Et toi Lucas ? Ça ne te dit pas ?
□ **Lucas :** Euh... en fait, j'aimerais bien faire un stage de VTT. C'est le Club de sports qui l'organise... Simon et Marco vont y aller... et on rêve de partir en vacances ensemble !
○ **Mère :** : ... Bon...

Piste 2 Leçon 1. Activité 2

● **Emma :** Salut Chloé ! Comment ça va ? C'est cool de se parler ! Raconte-moi tout.
○ **Chloé :** Salut ! Ça va super ! Je suis revenue à Paris. Je suis arrivée hier. J'ai pris le train à Berlin. J'étais en Allemagne au mois de juillet.
● **Emma :** Ah oui ? En Allemagne ?
○ **Chloé :** Oui, j'étais dans une famille allemande. C'était un échange linguistique. Le matin, j'avais des cours d'allemand et l'après-midi, je faisais ce que je voulais.
● **Emma :** La famille était sympa ?
○ **Chloé :** Très sympa ! Ils m'ont emmenée visiter la ville. Et toi Nathan ?
■ **Nathan :** Moi, je suis allé à la plage et j'ai vachement bronzé. J'ai fait du surf et j'ai gagné un concours de surf.
● **Emma :** Wahou, félicitations !
■ **Nathan :** Merci... Il y avait des supers vagues. Vous savez que je suis à Bilbao, en Espagne. Je fais du camping avec mes parents. On est là du 15 juillet au 15 août. Tu vois Chloé, on peut profiter de la plage et apprendre une langue étrangère. Moi aussi, j'ai des cours d'espagnol le matin.
○ **Chloé :** Alors Emma et toi ?
● **Emma :** Pfff, vous avez de la chance. Moi, en juillet, je suis restée à Paris. Mais je pars en aout avec ma famille. On va chez des cousins de ma mère qui habitent au Mexique, à Cancun.
■ **Nathan :** Quoi ?! Tu vas au Mexique !!!?!
● **Emma :** Eh oui... Je vais aller à la plage et manger des tacos !
○ **Chloé :** Tu dois visiter Chichen Itza, c'est une pyramide maya incroyable !!
● **Emma :** Oui, ne t'inquiète pas, c'est prévu !
■ **Nathan :** Et tu dois faire du snorkeling aussi, c'est trop bien !
● **Emma :** (elle rit). Ouais, d'accord ! Je dois y aller. Bonne fin d'été à tous les deux. On se voit à la rentrée !
● **Nathan :** Ça marche !
○ **Chloé :** OK. Profitez bien du mois d'août.

Piste 3 Leçon 3. Activité 4A

1. Tout **2.** Rue **3.** Bu **4.** Sous **5.** Tu **6.** Loup **7.** Roue **8.** Su **9.** Lu **10.** boue

Unité 2 : Réseaux

Piste 4 Leçon 1. Activité 5

● **Aurélie :** Là, tu vois, c'est Karine, ma meilleure copine. On se connaît depuis l'école primaire. On passe tout notre temps ensemble. On s'entend très bien. Son surnom c'est Miss Optimiste !
○ **Mathilde :** Et là ? C'est qui ce beau garçon ?
● **Aurélie :** Ah ! Oui, c'est vrai, il est plutôt mignon. Lui, c'est mon cousin Marc. Il est étudiant à Grenoble. Il est super motivé par ses études d'Histoire. En ce moment, on ne s'entend pas très bien : il a un peu la grosse tête depuis qu'il est à l'université, un peu prétentieux, quoi...
○ **Mathilde :** Là, j'imagine que ce sont tes parents. Tu ressembles à ton père !
● **Aurélie :** Oui, il s'appelle François. On est assez complices. Il est sévère, mais on parle beaucoup. Mes parents ont divorcé. Coralie, en fait, c'est sa deuxième femme. Elle est gentille et très ouverte, et moderne aussi.
○ **Mathilde :** Et eux, ce sont tes amis ?
● **Aurélie :** Non, c'est Sonia ma tante, la sœur de mon père et son petit ami, Olivier ! Ils sont vraiment différents ces deux-là : elle est dynamique, joyeuse, sociable. Lui, il est pessimiste et toujours à l'ouest. Je ne m'entends pas bien avec lui, mais bon !
○ **Mathilde :** Et ce petit garçon, c'est qui ?
● **Aurélie :** C'est Paco, mon petit cousin adopté par mon oncle et sa femme. Il a cinq ans et il est très intelligent et super sage !
○ **Mathilde :** Et cette photo de groupe ?
● **Aurélie :** Ouf ! Ça ce sont tous mes copains d'ici, du lycée, du quartier. Mais, t'inquiète pas, je te les présenterai samedi soir. Tu verras, ils sont trop cools. Cette photo, on l'a prise lors d'une sortie. Tu vois là...

Piste 5 Leçon 3. Activité 3

● **Pierre :** Salut Sophie, ça va ?
○ **Sophie :** Oui et toi ? Comment se passe ton voyage ?
● **Pierre :** Très bien ! Tu as vu la photo que je t'ai envoyée ?
○ **Sophie :** Oui d'ailleurs il y a des personnes que je ne connais pas...
● **Pierre :** Alors, il y a Delphine, ma petite amie.
○ **Sophie :** Ah alors c'est elle ? Elle est très jolie.
● **Pierre :** Oui, ça fait deux mois qu'on sort ensemble maintenant. Ensuite il y a Michel, mon meilleur ami depuis 3 ans.
○ **Sophie :** Ah je ne le reconnais pas sur la photo.
● **Pierre :** Et Peter, je l'ai connu il y a 1 an, grâce à un forum sur Hunger Game. Et puis, il y a aussi Lydia, une connaissance, c'est une amie de Delphine, je la connais seulement depuis le début du voyage. Et derrière c'est Alban. On se connaît depuis l'enfance...
○ **Sophie :** Ah, oui bien sûr.
● **Pierre :** Bon je te laisse, les communications avec l'angleterre sont chères. À bientôt.
○ **Sophie :** À bientôt.

Piste 6 Leçon 3. Activité 5

1. voiture **2.** pluie **3.** bille **4.** choix **5.** travail **6.** fruit

Unité 3 : La forme ?

Piste 7 Leçon 1. Activité 2

● **Daniel :** Allo Annie ? Je vais passer au supermarché avant de rentrer. Tu as besoin de quelque chose ? Tu as tout ce qu'il faut pour le dîner de demain soir ?
○ **Annie :** Ah Daniel, c'est super que tu appelles ! J'étais en train de faire la liste. Tu notes ?
● **Daniel :** Oui, attends, je prends un crayon... Ça y est, dis-moi.
○ **Annie :** Alors... euh... On dit une salade de pois chiche en entrée... donc prends des pois chiches, des tomates, du mais, du citron et de la ciboulette.

- ● **Daniel :** Les tomates, tu en veux beaucoup ?
- ○ **Annie :** Non, non, un demi-kilo, c'est bien. Ah et des olives aussi.
- ● **Daniel :** Tu veux quoi comme olives ?
- ○ **Annie :** Des olives noires pour la salade.
- ● **Daniel :** D'accord, c'est noté. Autre chose ?
- ○ **Annie :** Oui, pour la quiche au saumon et aux poireaux, il nous faut des œufs, prends-en une demi-douzaine. Il faut aussi 3 ou 4 poireaux. Il nous reste de la crème fraiche ?
- ● **Daniel :** Euh... je crois que non.
- ○ **Annie :** Alors achètes-en un pot, s'il te plaît. Et 8 tranches de saumon.
- ● **Daniel :** Ok. Autre chose ? Pour le dessert, tu as tout ?
- ○ **Annie :** Non, j'ai les fruits mais il faudrait du chocolat à dessert. Prends-en 300 grammes. On va faire une fondue au chocolat.
- ● **Daniel :** J'achète du pain ?
- ○ **Annie :** Oui, oui, prends-en. Bon et je crois que c'est tout.
- ● **Daniel :** D'accord, alors j'y vais.
- ○ **Annie :** Daniel, attends, j'ai oublié, de l'huile, on n'en a plus, achètes-en une bouteille.
- ● **Daniel :** C'est noté, allez, à tout à l'heure.

Piste 8 Leçon 2. Activité 1A

- ● **Alice :** Moi, je pratique l'escalade depuis toujours. Je vis en ville mais je déteste ça. Je vais donc escalader dans le but de me retrouver avec la nature. Il y a du silence, on n'entend pas le bruit des voitures, c'est super.
- ○ **Matéo :** Comme je suis quelqu'un de très nerveux, je fais du karaté. Ça me permet de me défouler, et donc de me détendre. Je tape mais je respecte les règles. Quand je sors de mon entraînement, je me sens plus calme.
- ■ **Emma :** Depuis que je suis petite, je fais de la danse classique. Pour moi, c'est plus qu'un sport, c'est un art. Je vis dans une famille nombreuse, j'ai quatre frères. Souvent, afin de déconnecter, je mets mes chaussons et je danse.
- □ **Milo :** Quand je suis devenu adolescent, j'étais très maladroit. Je tombais souvent, je ne contrôlais pas vraiment mon corps, il grandissait trop vite. Alors j'ai commencé à faire du Tai Chi pour apprendre à maitriser mon équilibre.

Piste 9 Leçon 2. Activité 5

- ● **Présentateur :** Bonjour à tous. Aujourd'hui dans notre rubrique « Tous en forme » nous allons parler des bienfaits du sport. Maryse, expliquez-nous pourquoi le sport c'est si important.
- ○ **Maryse :** Et bien tout d'abord, sans nous en rendre compte, nous faisons du sport tous les jours : de la marche, du vélo, de la course quand on est pressé, on monte les escaliers. Pourquoi se bouger autant alors que le sport, ça fatigue et, en plus, on peut se blesser ?
- ● **Présentateur :** C'est vrai ! D'ailleurs, beaucoup de personnes pensent que faire du sport, ça ne sert à rien, ils disent que c'est inutile.
- ○ **Maryse :** Et bien ce n'est pas vrai. Faire du sport, c'est très important. Quand on bouge, ce sont tous les muscles de notre corps qui travaillent. Ainsi, on devient plus souple et plus fort. Vous développez votre agilité et vous apprenez à faire des efforts pour progresser.
- ● **Présentateur :** Vous avez raison...
- ○ **Maryse :** Oui et enfin, quand vous faites du sport, vous apprenez à écouter les règles et à les respecter, c'est-à-dire que vous améliorez vos compétences sociales.
- ● **Présentateur :** Nos compétences sociales ? C'est-à-dire ?
- ○ **Maryse :** Et bien, quand vous faites du sport, vous n'êtes jamais tout seul. Vous partagez ce moment avec vos amis ou votre famille. Vous pouvez aussi faire du sport dans le but d'aider, de partager.
- ● **Présentateur :** En clair, le sport il n'y a rien de mieux ?
- ○ **Maryse :** Oui tout à fait et quand vous gagnez ou tout simplement quand vous faites des progrès, vous êtes contents et votre cerveau reçoit de l'endorphine, l'hormone du plaisir donc vous vous sentez bien, dans votre tête et dans votre corps. Et il ne faut pas oublier aussi que les médecins conseillent de faire une heure de sport tous les jours pour être en bonne santé.
- ● **Présentateur :** Merci beaucoup Maryse pour toutes ces informations. Chers auditeurs, qu'attendez-vous pour vous mettre réellement au sport ?

Piste 10 Leçon 2. Activité 6

1. Pain / bain **2.** Pierre / Pierre **3.** Bateau / pataud **4.** Pas / bas **5.** boule / boule **6.** fâcher / fâcher **7.** Frais / vrai **8.** refus / revue **9.** vol / folle **10.** vache / vache

Piste 11 Leçon 3. Activité 2

- ● **Mère :** Eh bien, Jules, qu'est-ce que tu fais ? Tu n'es pas prêt ? Tu vas être en retard.
- ○ **Jules :** Je m'en fiche, j'y vais pas.
- ● **Mère :** Mais pourquoi ? Qu'est-ce qui se passe ?
- ○ **Jules :** Rien, j'ai pas envie c'est tout.
- ● **Mère :** Bah, je comprends pas, tu nous parles de cette fête au moins une fois par jours, qu'est-ce qui t'arrive ? Pourquoi tu veux plus y aller ?
- ○ **Jules :** Ouais bah, y a deux semaines, j'avais pas cet appareil ridicule.
- ● **Mère :** C'est pas ridicule, tu portes un appareil pour tes dents, c'est tout, il n'y a rien de ridicule à ça.
- ○ **Jules :** C'est facile à dire, mais moi mes copains ils m'appellent « sourire d'acier » maintenant.
- ○ **Léa :** Devant Mélanie en plus !
- ● **Mère :** Ah, je vois ; et Mélanie t'a dit quelque chose ? Ça la fait rire aussi ?
- ○ **Jules :** Euh, non. Elle ne rit pas Mélanie, elle a rien dit.
- ● **Mère :** Elle a arrêté de te parler ? Elle t'évite ?
- ○ **Jules :** Mais non, non, pas du tout.
- ● **Mère :** Alors, il est où le problème ?
- ○ **Jules :** Pff, je sais pas, c'est pas beau. Je me sens nul avec ce truc.
- ● **Mère :** Ah bon ? Nul comment ? T'es plus le même ?
- ■ **Léa :** C'est vrai, t'es plus le même ! Maintenant tu brilles, même la nuit !
- ● **Mère :** Léa ne te moque pas de ton frère !
- ○ **Jules :** Allez Léa, t'es pas drôle.
- ■ **Léa :** C'est tes copains qui sont pas drôles, et toi, t'as perdu ton sens de l'humour. À ta place, j'en ferais pas toute une histoire. Porter un appareil, c'est pas un drame, y a des choses plus graves quand même.
- ● **Mère :** Elle a raison, tu sais.
- ○ **Jules :** Ouais mais...
- ● **Mère :** Mais rien du tout, allez, prépare-toi, je t'emmène.
- ○ **Jules :** Pff...
- ● **Mère :** Allez, on y va, tu vas voir.

Unité 4 : Notre cinéma

Piste 12 Leçon 1. Activité 2

La pièce se déroule à l'intérieur d'une boulangerie. C'est une boulangerie traditionnelle. À travers la vitrine, on peut voir les clients qui attendent pour rentrer et acheter le pain. En face de la porte, il y a le comptoir Derrière le comptoir, la boulangère. Elle porte un tablier blanc sur une chemise noire à manches courtes. Au fond de la boulangerie, il y a toutes sortes de baguettes. Au milieu, les baguettes traditionnelles, à droite les baguettes spéciales. À côté du comptoir de la boulangère, il y a la vitrine des pâtisseries et des viennoiseries. Ici et là des clients attendent : il y a un monsieur avec un parapluie et une moustache. Une jeune femme avec un foulard, un tailleur en lin et des chaussures à talons. Une jeune maman avec un imperméable qui tient un jeune garçon par la main. Le petit garçon porte un jean et des lunettes de soleil.

Piste 13 Leçon 3. Activité 3

Le professeur, Clément Mathieu, venu faire un remplacement part le matin de l'internat où il donnait des cours de musique. Il est seul, sa valise à la main, dans la cour de l'internat. Il est déçu parce que ses élèves ne lui ont pas dit au revoir. Puis, une voix commence à se faire entendre, un garçon est en train de chanter. Des avions en papiers volent autour du professeur. Il les ramasse en se penchant et il lit les mots que ses élèves lui ont laissés. Le professeur, seul, lit les notes en écoutant ses élèves.

Piste 14 Leçon 3. Activité 5A

(Tristesse, joie, surprise, colère) David organise une fête samedi prochain.

Unité 5 : Engagés

Piste 15 Leçon 1. Activité 3A.

- ● **Adulte :** Jeunes, J'écoute, bonjour !
- ○ **Marine :** Bonjour, euh... Je voulais savoir ce que je peux faire pour qu'un groupe de jeunes arrête de me harceler, de me provoquer, de me pousser dans les couloirs.
- ● **Adulte :** Ça fait longtemps que cela a commencé ?
- ○ **Marine :** Ça fait presque deux mois, mais ça a commencé petit à petit. D'abord, deux garçons, puis deux filles.
- ● **Adulte :** Qu'est ce qui se passe exactement ?
- ○ **Marine :** Ben... maintenant, c'est tous les jours, ils sont quatre ou cinq, à la cantine, à la sortie des cours... Ils se moquent de moi, ils m'insultent, me prennent mon sac-à-dos...
- ● **Adulte :** Tu dis que tu les connais, ce sont donc des élèves du même collège que toi ?
- ○ **Marine :** Oui, oui, mais ils sont un peu plus âgés que moi.

- **Adulte :** Est-ce que tu en as parlé à tes professeurs, au directeur, à des adultes ?
- **Marine :** Non, parce que j'ai peur. J'en ai parlé à mon grand frère, qui était très en colère et qui va m'aider. Mais je suis sûre que d'autres élèves sont victimes de ce petit groupe. Mais personne ne dit rien.
- **Adulte :** Eh bien, tu sais ce que tu peux faire ? D'abord, tu vas...

Piste 16 Leçon 2. Activité 1.

- **Présentatrice :** En direct de Québec, notre correspondant Marc Reno. Bonjour Marc, vous assistez à la Nuit des Sans Abris qui a lieu actuellement dans toutes les villes de la région de Québec, au Canada...
- **Marc :** Oui, bonjour. Effectivement, les organisateurs de la Nuit des Sans Abris sont heureux du succès de leur initiative. Des milliers de personnes sont venues montrer leur solidarité envers les personnes sans logement. Des distributions de nourritures, des constructions d'abris, des marches et des spectacles sont au programme. Les organisateurs veulent démontrer qu'il faut combattre l'extrême pauvreté qui provoque des multiples problèmes sociaux.
- **Présentatrice :** Nous revenons sur le territoire français, avec notre envoyé spécial, en Bretagne Clara, quelle est la situation : a-t-on une gagnante ?
- **Clara :** Le suspense est intense. Tous les projets des 24 candidates au Prix de la Vocation Scientifique et Technique des filles ont été examinés par les membres du jury. L'annonce du nom de la gagnante en région Bretagne est imminente. Je vous rappelle que ce prix récompense chaque année des élèves de Terminale, des filles, qui choisissent de s'orienter vers des filières scientifiques après le baccalauréat. Ce prix a l'ambition d'encourager les filles à s'inscrire dans des filières dominées en général par la présence des garçons. En d'autres termes, grâce à ce concours, le Ministère en charge de l'égalité entre les femmes et les hommes veut encourager la diversification des choix scolaires des jeunes filles.
- **Présentatrice :** Et nous terminons notre flash info par un bilan positif concernant la circulation alternée pour lutter contre la pollution de l'air. Laure, c'est à vous.
- **Laure :** Après un pic de pollution persistant en Île-de-France, la maire de Paris, Anne Hidalgo, a décidé d'imposer la circulation alternée hier, lundi. Puisque nous étions le 23, ce sont les voitures avec une plaque d'immatriculation qui termine par un chiffre impair qui ont pu rouler. Les autres voitures, avec une plaque d'immatriculation qui se termine par un chiffre pair ont dû rester au garage. Aujourd'hui, retour à la normale, puisque l'initiative lancée par Anne Hidalgo a eu de bons résultats. En effet, on a observé une diminution de la pollution sur toute la région parisienne.

Piste 17 Leçon 2. Activité 6.

1. Camping **2.** Vigne **3.** Bague **4.** Espagnol **5.** Ping–pong
6. Bagage **7.** Gnangnan **8.** Gorge **9.** Bowling

Piste 18 Leçon 3. Activité 3A.

- **Aurélie :** J'adore dessiner ! Je dessine depuis toujours, mes cahiers de cours sont remplis de dessins. Ça énerve souvent mes professeurs. Mais plutôt que dessiner avec un crayon, j'aimerais maintenant faire du dessin sur ordinateur. Mais je ne suis que lycéenne, donc j'ai pas beaucoup de sous pour me payer des cours...
- **Pascaline :** Je suis bilingue. Mon père est français et ma mère est chinoise. Je parle donc parfaitement français et chinois. Mais cet été, je vais en Russie et je ne parle pas un mot de russe ! J'aimerais bien connaître quelqu'un qui parle russe, et moi, je pourrais lui apprendre le français ou le chinois.
- **Sergio :** Bonjour, je m'appelle Sergio. Je suis en France depuis deux mois. Je fais une école de commerce mais il y a des cours de chinois. C'est très compliqué pour moi. Déjà, avec le français, j'ai des problèmes. Peut-être que quelqu'un veut apprendre le russe contre des cours de français et / ou de chinois ?
- **Julien :** Ouh là là !!! C'est bientôt le bac et je n'ai rien fait en maths de toute l'année ! C'est parce que je ne comprends rien ! Mais les maths, c'est important pour moi, je fais un bac Scientifique. Mais moi, ce que j'aime, c'est la biologie. De la bio contre des maths, ça intéresse quelqu'un ?
- **Géraldine :** Je fais des études d'art numérique. Mais j'aimerais aussi savoir les bases, c'est pour ça que je cherche des cours de dessins. Au lieu de prendre des cours particuliers, je préférerais échanger avec quelqu'un qui sait dessiner.
- **Yann :** La galère ! Je n'ai pas réussi mon examen de biologie. Il faut dire que ce que j'aime, moi, ce sont les choses plus abstraites. Je suis très fort en maths. Je cherche donc quelqu'un qui a des problèmes en maths et qui m'apporte des solutions en chimie.

Unité 6 : Faites du bruit !

Piste 19 Leçon 3. Activité 3A.

Hier j'ai écouté une chanson qui s'appelle « Soyons fous », d'un groupe qui s'appelle : « Les Tit' Nassels. » et elle date de 2013. La chanson appartient au genre de variété, elle est plutôt engagée puisqu'elle parle de la surconsommation. Malgré le sujet engagé, la chanson est entrainante et plutôt marrante puisqu'elle est ironique. Elle est aussi gaie et originale. J'aime beaucoup cette chanson parce que le thème dont elle parle est intéressant et très actuel. En plus, elle nous fait réfléchir à pourquoi on achète toujours les derniers gadgets à la mode. J'aime aussi beaucoup la voix des deux chanteurs, elle est claire et forte et a un bon rythme. Par contre, je n'aime pas les bruits des appareils au début de la chanson ni les effets pendant la chanson. Il y a beaucoup d'instruments mais, quand même, je crois qu'il y en a trop. C'est une chanson parfaite pour avoir la pêche le matin parce qu'elle bouge beaucoup. Je l'écoute beaucoup parce qu'elle est très entrainante et facile à retenir.

DELF

Piste 20 Compréhension orale

Comme vous le savez, afin d'être en bonne santé, il faut manger au moins 5 fruits et légumes chaque jour. Mais ce n'est pas tous les jours facile d'en manger autant surtout si vous n'êtes pas un excellent cuisinier et que vous préférez les plats préparés. Je vais vous proposer aujourd'hui une recette de tarte aux fruits d'été. C'est une recette très facile à réaliser. Je la fais au moins une fois par mois ! C'est vraiment une recette délicieuse, rafraichissante et bonne pour la santé. Prenez un papier et notez les ingrédients. Vu que c'est une tarte, nous allons d'abord faire la pâte. Pour cela, nous aurons besoin de 300g de farine, 150g de beurre, 1 pincée de sel et 8 cl d'eau. Vous mélangez tous ces ingrédients dans un saladier et vous étirez votre pâte dans un moule. Pour gagner du temps, si j'étais vous, j'achèterai une pâte brisée toute prête. Et maintenant, pour la crème, il faut 50cl de lait, 2 œufs entiers, 40g de farine, 80g de sucre et une cuillère à soupe de vanille liquide. Dans une grande casserole, vous mélangez le lait, les œufs, la farine et le sucre. Vous faites cuire à feu doux et vous mélangez pendant sept minutes. Vous laissez la crème refroidir à température et vous la mettez au frigo pendant que vous préparez les fruits. Pour les fruits, vu que nous sommes en été, nous allons prendre des fruits d'été 100g de fraises, 150g de framboises, 2 kiwis, 1 banane, 1 orange et la moitié d'un ananas. Vous lavez bien tous ces fruits afin d'être sûr d'enlever les microbes et vous les coupez en dés. Vous recouvrez la pâte avec la crème et vous étalez les fruits sur la crème. Si j'étais vous, pour impressionner mes invités, je napperai 25cl de jus d'abricot sur les fruits dans le but de donner un aspect brillant à la tarte. Vous la laissez au moins deux heures au frigo avant de servir, et voilà ! Bon appétit ! (vous pouvez aussi retrouver la recette sur le site de l'émission www.radioinfos.aplus.fr rubrique La cuisine de Paul).

Piste 21 Compréhension orale

- **Charlotte :** Bonjour Madame, j'ai vu votre affiche qui dit que vous cherchez des bénévoles pour votre association. Et j'aimerais me présenter.
- **Jeanne :** Bonjour Mademoiselle. Vous savez que notre association vient en aide aux personnes âgées, principalement, nous leur tenons compagnie, nous les aidons dans leurs tâches quotidiennes. Vous avez de l'expérience avec ce public ?
- **Charlotte :** Euh non. Mais j'ai déjà fait du bénévolat dans mon lycée. J'aide des enfants avec leurs devoirs. Et j'aime beaucoup ça, j'aime me sentir utile et rendre service aux autres. Alors quand j'ai lu que 20% des personnes âgées souffrent de solitude, j'ai pensé : il faut que je fasse quelque chose. C'est pour cela que je suis ici.
- **Jeanne :** À mon avis, c'est très bien que des jeunes comme vous s'engagent pour les Seniors. Vous savez, vous pouvez beaucoup apprendre d'eux. Mais dites-moi, à quelle action avez-vous déjà participé avec votre lycée ?
- **Charlotte :** Nous organisons beaucoup de marchés solidaires pour récolter de l'argent pour acheter du matériel scolaire, des vêtements, des jouets pour les enfants défavorisés. Nous vendons des gâteaux que nous faisons nous-mêmes et des petites choses que nous fabriquons
- **Jeanne :** Vous avez l'air jeune mais vous avez de l'expérience. C'est très bien ! Je prends une décision et je vous contacte.
- **Charlotte :** Merci beaucoup ! Au revoir !

Cahier d'exercices

AUTEUR
Sophie Lhomme

Auteurs de Pourquoi Pas !
Michèle Bosquet et Yolanda Rennes

COORDINATION ÉDITORIALE
Estelle Foullon

CONCEPTION GRAPHIQUE
Xavier Carrascosa, Giovanni Roncador

MISE EN PAGE
Xavier Carrascosa

COUVERTURE
Luis Lujan

ILLUSTRATIONS
Laura Desiree Pozzi

CORRECTION
Laëtitia Riou

REPORTAGE PHOTOGRAPHIQUE
Oscar García Ortega

ENREGISTREMENTS
Studio d'enregistrement : Blind Records

PROGRAMMATION
Ana Castro

Crédits (photographies, images et textes)
Couverture : Oscar García Ortega
Unité 1 Oscar Garcia Ortega ; Armin Staudt/Fotolia.com ; micro/Fotolia.com ; davis/Fotolia.com ; Yvann K/Fotolia.com ; Prod. Numérik/Fotolia.com ; Studio Foto/Fotolia.com ; Prod. Numérik/Fotolia.com ; joseph_hilfiger - Fotolia.com ; Production Perig - Fotolia.com ; kuvona - Fotolia.com ; SergiyN - Fotolia.com **Unité 2** Oscar Garcia Ortega ; burnstuff2003/Fotolia.com ; SolisImages/Fotolia.com ; principigalli/Istockphoto.com ; erierika/Istockphoto.com ; skynesher/Istockphoto.com ; EpicStockMedia/Istockphoto.com ; dubova/Fotolia.com ; goodluz/Fotolia.com ; william87/Fotolia.com ; Svetlaya/Fotolia.com ; micromonkey/Fotolia.com ; goodluz/Fotolia.com ; verkoka/Fotolia.com
Unité 3 Oscar Garcia Ortega ; 5second/Fotolia.com ; Jérôme Rommé/Fotolia.com ; JJAVA/Fotolia.com ; M.studio/Fotolia.com ; Maksym Yemelyanov/Fotolia.com ; Eva Katalin Kondoros/Istockphoto.com; Maica/Istockphoto.com ; MachineHeadz/Istockphoto.com ; PeopleImages/Istockphoto.com ; XiFotos/Istockphoto.com ; shironosov/Istockphoto.com ; loreanto/Fotolia.com **Unité 4** Oscar Garcia Ortega ; pagadesign/Istockphoto.com ; Stockerteam/Fotolia.com ; gmm2000/Fotolia.com **Unité 5** Oscar Garcia Ortega ; Spencer/Fotolia.com ; AlpamayoPhoto/Istockphoto.com ; Ellagrin/Istockphoto.com ; Colorscurves/Dreamstime.com **Unité 6** Oscar Garcia Ortega ; orfee/Fotolia.com ; Neustockimages/Istockphoto.com ; dehweh/Fotolia.com ; Meunierd/Dreamstime.com ; alexlukin/Fotolia.com **DELF** TAlex/Fotolia.com ; Christopher Futcher/ Istockphoto.com

Cet ouvrage est basé sur l'approche didactique et méthodologique mise en place par les auteurs de *Gente joven* et *Pourquoi Pas !*.

Réimpression : mars 2020
ISBN édition internationale : 978-84-16273-21-8
ISBN édition IF Maroc : 978-84-17260-62-0
Imprimé dans l'UE

www.emdl.fr/fle